MW00799499

«*Tienes mi bendición. Es un libro que necesitaba ser escrito. Hará mucho bien*».[1]

Dr. Peter John Kreeft
Profesor de Filosofía, *Boston College*

«*La base fundamental de todo discípulo de Cristo es su vida espiritual. La espiritualidad es una de las áreas que han sido olvidadas por la iglesia contemporánea. La espiritualidad ha sido sacrificada en el altar del acomodamiento cultural. El enfoque actual está en la relevancia cultural para mantener la supervivencia. Como respuesta a esta situación actual y con el propósito de que volvamos a la fuente de la vida espiritual, mi querido amigo, Stephen Hiemstra nos presenta una guía basada en el Credo Apostólico, el Padre Nuestro y los Diez Mandamientos. Estoy seguro que este recurso será de mucha bendición para la iglesia hispana en Norteamérica. Lo recomiendo con mucho entusiasmo*».

Rev. Eddy Alemán
Director de Desarrollo de Liderazgo Estrategico y Ministerios Hispanos, *Reformed Church in America*

---

[1] «*You have my blessing. It's a book that needed to be written. It will do a lot of good*».

«*Este libro es una gran contribución al concepto bíblico/teológico de la espiritualidad cristiana. Basado en las escrituras y sobre todo, utilizando el Credo Apostólico, el Padre Nuestro, y los Diez Mandamientos el lector encontrará en este escrito alimento para el alma, sabiduría que faculta y sobre todo dirección espiritual. Sin lugar a dudas el Dr. Stephen W. Hiemstra ha sido divinamente inspirado para proveernos de este material educativo, inspiracional y devocional. A Dios sea la gloria*».

Rev. Dr. Héctor Rodríguez
Asociado a la Oficina de Ministerios Étnico Racial Hispano/ Latinos/nas y Nuevos Inmigrantes, Ministerios Étnico Racial y de Mujeres y la Agencia Presbiteriana de Misión, *Presbyterian Church (U.S.A.)*

«*La espiritualidad puede parecer como una búsqueda amorfa, poca práctica, y no muy presbiteriana. Pero históricamente nada podría estar más lejos de la verdad. Para aquellos explorando el «cómo» de la vida cristiana, Stephen Hiemstra ha proporcionado una guía útil y accesible a través de la estructura clásica catequética del Credo de los Apóstoles (cómo el cristiano debe creer), el Padre Nuestro (cómo el cristiano debe orar), y los Diez Mandamientos (cómo el cristiano debe vivir)*».[1]

Rev. David A. Currie, Ph.D.
Director del Programa de Doctorado en Ministerio y Profesor Asociado de Teología Pastoral, *Gordon-Conwell Theological Seminary*

---

1 «*Spirituality can seem like an amorphous, impractical, and un-Presbyterian pursuit. But historically nothing could be farther from the truth. For anyone seeking to explore the 'how's' of the Christian life, Stephen Hiemstra has provided a helpful, accessible guide using the classic catechetical structure of the Apostles' Creed (how Christians should believe), the Lord's Prayer (how Christians should pray), and Ten Commandments (how Christians should live)*».

«Con la regla de la fe —el Credo de los Apóstoles, el Padre Nuestro, y los Diez Mandamientos— como trasfondo, Hiemstra abre el tema de la espiritualidad cristiana con agudeza teologíca y aplicación práctica. Es un libro para aquellos quienes quieren entender la mejor forma de tener una fe viva y una profunda devoción y el conocimiento experimental de Dios».[2]

Dr. Stephen Macchia
Fundador y Presidente de Transformaciones de Liderazgo y Director del *Pierce Center* para el Desarrollo de Discípulos, *Gordon-Conwell Theological Seminary.* Autor de varios libros, especialmente *Becoming A Healthy Church* (Baker) y *Crafting A Rule of Life* (InterVarsity/Formatio).

«Hoy en día, muchos cristianos intentan establecerse ellos mismos aparte de otros cristianos. En este ambiente actual, me complace recomendar una guía a la espiritualidad y el discipulado basado en las fuentes que todos los cristianos tienen en común —El Credo Apostólico, El Padre Nuestro, y Los Diez Mandamientos. El autor magnifica las verdades del evangelio de gracia e ilumina la vida cristiana con sencillez y aplicación práctica. Este libro es provechoso para individuos y grupos pequeños. Espero que Una Guía Cristiana a La Espiritualidad: Cimientos para Discípulos encuentre un amplio círculo de lectores».

Dr. David Broucek
Director de Ministerios Internacionales, La Misión Sudamericana (SAM)

---

2 *«With the rule of faith —Apostles Creed, Lord's Prayer and 10 Commandments— as his backdrop, Hiemstra opens up the subject of Christian spirituality with theological acumen and practical application. This is a book for those who want to understand how best to have a living faith and an ever deepening devotional and experiential knowledge of God».*

Otros libros por Stephen W. Hiemstra:

A Christian Guide to Spirituality

Life in Tension

UNA GUÍA CRISTIANA A LA ESPIRITUALIDAD

Camino Olvidado en Invierno

UNA GUÍA CRISTIANA A LA ESPIRITUALIDAD

Cimientos para Discípulos

Stephen W. Hiemstra

T2Pneuma Publishers LLC
Centreville, Virginia

UNA GUÍA CRISTIANA A LA ESPIRITUALIDAD
Cimientos para Discípulos

© 2015 Stephen W. Hiemstra. Todos los derechos reservados.
ISNI: 0000 0000 2902 8171

Con la excepción de breves fragmentos utilizados en artículos y revisión crítica, ninguna parte de esta obra puede ser reproducida, transmitida o almacenada en cualquier forma, impresa o electrónica, sin el permiso previo y por escrito de los titulares.

Título orginal: *A Christian Guide to Spirituality: Foundations for Disciples*.
@ 2014 Stephen W. Hiemstra
All Rights Reserved

T2Pneuma Publishers LLC
P.O. Box 230564, Centreville, Virginia 20120
http://www.T2Pneuma.com

ISBN: 978-1-942199014 (Paperback)
ISBN: 978-1942199144 (EPUB)
ISBN: 978-1-942199021 (Kindle)

Library of Congress número de control: 2014922717

Todas las citas bíblicas, a menos que se indique lo contrario, se toman de la Nueva Biblia De Los Hispanos (NBH).
© Copyright 2005 by The Lockman Foundation. Usadas con permiso.

Se agradece la autorización para utilizar los siguientes materiales:

Office of the General Assembly, Presbyterian Church (U.S.A.); Libro de *Confesiones*, Parte I, 2004. Usado con permisión.

La imagen de la cubierta es un mosaico del siglo XII conocida como la «*Iglesia de Hagia Sophia (Santa Sabiduría)*» de una basílica del mismo nombre, en Estambul, Turquía. La imagen electrónica tiene licencia de iStockPhoto (http://www.iStockPhoto.com) de Calgary en Alberta, Canadá.

Traducido al español, diseño de la cubierta y fotografías por el autor.

Para mi esposa, Maryam, y para nuestros hijos, Christine, Narsis, y Reza, mi inspiración para ir al seminario y escribir este libro.

CONTENIDO

EL PADRE NUESTRO

LOS DIEZ MANDAMIENTOS

PRÓLOGO

*E*l espíritu de la posmodernidad se caracteriza por esta notoria, prevalente y creciente perspectiva cultural, filosófica e ideológica, totalmente carente de absolutos, que se complace en la convivencia del pluralismo y la divergencia a cualquier precio, aunque se vista de incongruente.

En este mismo sentido, la espiritualidad de nuestro tiempo, como señalan diversos autores, es completamente heterodoxa y se nutre de cualquier fuente, puesto que el mundo de estos días, habiendo descreído de las verdades absolutas, ha apostado ciegamente por las creencias relativas.

Consecuentemente, caminamos divagando en medio de modas y tradiciones, tendencias y costumbres, que nos llevan de un lado a otro sin conducirnos a ninguna parte y dejándonos abandonados en un profundo desasosiego.

La sociedad de nuestros días, como dijera el filósofo Walter Benjamin, está viviendo en una especie de mesianismo sin Mesías, y el subproducto de ello es este ser humano posmoderno, carente de convicciones espirituales trascendentes, con fe en la fe antropocéntrica y en la autoayuda, que busca únicamente satisfacer el aquí y el ahora, apelando a cualquier cosa que le supla sus necesidades temporales.

Este es el terreno en el que se encuentra la iglesia, muchas veces infectada por este mismo cáncer; y el hombre y la mujer, creyentes contemporáneos, no hacen sino evidenciar los síntomas de este extravío. Aunque nos duela, debemos reconocerlo.

Cobra profundo sentido y valor, entonces, el esfuerzo del autor por llevarnos en este periplo de cuarenta días por los caminos del Credo de los Apóstoles, el Padre Nuestro y los Diez Mandamientos, referentes fundamentales de nuestra fe.

De manera práctica, pero profundamente introspectiva, la reflexión metafísica, antropológica, ética y epistemológica que Hiemstra nos plantea en su libro, nos conducen a la búsqueda y el desarrollo de una auténtica y sana espiritualidad fundamentada en las Escrituras, que son, como Dios mismo afirma, aquello que *«nunca pasará»* (Mt. 24:35) y que nos fueran dadas para nuestro bienestar integral.

No olvidemos que *«todo lo que está escrito en la Biblia es el mensaje de Dios, y es útil para enseñar a la gente, para ayudarla y corregirla, y para mostrarle cómo debe vivir»* (2 Tim. 3:16 TLA).

Les animo, pues, a hacer este valioso recorrido de cuarenta días; aunque debo decir con honestidad, me entusiasma más el que se propone para la Pascua, culminando en el Pentecostés, como una celebración y reafirmación personal de la llegada del Espíritu Santo a nuestras vidas, pues únicamente el Espíritu de Dios es quien vivificará nuestro espíritu para que podamos vivir una verdadera espiritualidad.

Rev. Julio C. Lugo, Mg.

Director Ejecutivo

ETBIL LATINO AMÉRICA[1]

---

1 *Educación Teológica Basada en la Iglesia Local* (ETBIL) en Latinoamérica— Lima, Peru (http://www.etbil.org).

PREFACIO

*L*a espiritualidad es la creencia vivida. Cuando oramos, adoramos, o ayudamos a nuestros prójimos, vivimos lo que creemos. Nuestras creencias estructuran nuestra espiritualidad como la piel estirada sobre los huesos de nuestros cuerpos. Estas creencias empiezan con fe en Dios el Padre por medio de Jesucristo, tal como es revelado a través del Espíritu Santo en la Biblia, la iglesia y la vida diaria. Nuestra teología ordena nuestra creencia. Sin una teología coherente, perdemos nuestra identidad en el espacio y el tiempo sin tener un mapa ni una brújula que nos guie en nuestro camino. Al final, nos enfocamos en nosotros mismos, no en Dios.

Por esta razón la espiritualidad cristiana comienza con Dios, no con nosotros. Así como la mujer que Jesús curó de una deformación de la espina, nuestra única respuesta puede ser el glorificar a Dios con cantos de alabanza (Lc. 13:13). Esta es la razón por la cual se vive el gozo cristiano duradero, no es reconociendo a Cristo como salvador, sino reconociendo a Cristo como Señor. Las disciplinas y experiencias espirituales son parte de esta espiritualidad, pero no son necesariamente el enfoque principal (1 Cor. 13:8).

Este enfoque en lo que ha hecho Dios comienza en el

versículo uno de Génesis donde Dios se presenta creando el cielo y la tierra. ¿Qué hemos hecho nosotros exactamente para merecer ser creados? Nada. De hecho, nuestro primer acto de independencia fue el pecar. ¿Qué hemos hecho exactamente para merecer el perdón? Nada. Cristo murió por nuestros pecados. La única respuesta significativa a estos dones de la creación y la salvación es la alabanza.

La iglesia primitiva interpretó y resumió las revelaciones de Dios en el texto bíblico y los credos. Los catecismos se desarrollaron más tarde para resumir las doctrinas claves de la iglesia. El Catecismo de Heidelberg, el Catecismo de Lutero, y el Catecismo Católico se enfocan en tres declaraciones claves de la fe: el *Credo de los Apóstoles*, el *Padre Nuestro*, y los *Diez Mandamientos* (Chan, 2006, 108). No nos debe sorprender que, por siglos, el culto de domingo se ha enfocado en estas tres declaraciones de fe y que fueron memorizadas y puestas en canción. El Catecismo de Heidelberg, por ejemplo, estimula un enfoque a la adoración y se divide en 52 temas para sermones para uso semanal.

La disciplina espiritual principal en la fe cristiana es naturalmente el culto de domingo por la mañana. El servicio de adoración incluye la oración, lectura de las escrituras, la palabra hablada, los sacramentos, la música, las declaraciones de fe, y las otras expresiones de fiel adoración. En la adoración, la música conecta nuestros corazones y nuestras mentes.

Esta experiencia de la adoración se fortalece diariamente a través de los devocionales personales, así como los devocionales con nuestras parejas, familias, y otros grupos pequeños. El grupo pequeño original es la Trinidad —el Padre, el Hijo, y el Espíritu Santo— nuestro modelo para una comunidad saludable. Y cuando llevamos nuestra espiritualidad al mundo secular, también se convierte en una oportunidad para adorar.

Las siguientes páginas expliquen la espiritualidad cristiana en la forma de devocionales cotidianos. Cada tema se trata desde el marco de las escrituras, una reflexión, una oración, y preguntas para discusión. Cuando es apropiado, se proporcionan referencias para un estudio más profundo. Los primeros cuatro capítulos (Introducción, El *Credo de los Apóstoles*, el *Padre Nuestro*, y los *Diez Mandamientos*) cubren 40 días, haciendo posible el que se adapte como un estudio de Cuaresma. El estudio completo es de 50 días, que se presta para un estudio durante la Pascua terminando en el día de Pentecostés.

Mi oración es que este libro aliente a los lectores a entender la espiritualidad cristiana un poco mejor y, a la misma vez, nutra su caminar con el Señor. No existe tal cosa como calidad de tiempo con el Señor; sólo hay tiempo. El Dios Vivo nos habla de muchas maneras, pero especialmente a través de las escrituras y, después de haber iniciado un diálogo, espera nuestra respuesta (Thielicke 1962, 34).

AGRADECIMIENTOS

Como cristianos y como pastores, somos nutridos por muchos santos de maneras que a veces pueden ser difícil de enumerar. Sin embargo, después de un tiempo, nos damos cuenta que el Espíritu Santo es el verdadero autor de la iluminación e inspiración de la obra que llamamos nuestra. Este estudio realmente me ha bendecido.

El 15 de noviembre de 2013 marcó el 450to aniversario de la publicación del Catecismo de Heidelberg. Mientras algunos han descrito este libro como un comentario devocional sobre el Catecismo de Heidelberg, sería más acertado decir que este libro y el catecismo comparten un enfoque común en el Credo Apostólico, el Padre Nuestro, y los Diez Mandamientos. Pero, el Catecismo fue útil en el desarrollo de estas reflexiones. Un agradecimiento especial a *Reformed Church in America* por haber hecho las referencias Bíblicas al Catecismo disponible en su página web.[1]

Quiero agradecer a todos mis colaboradores. Un agradecimiento especial para el Rvdo. Dr. John E. Hiemstra de *Reformed Church in America*, el Rvdo. Thomas J. Smith con I.T.E.M. Inc, Nohemi Zerbi de *Riverside Presbyterian Church*, Sterling, Virginia, el Rvdo. Sindile Dlamini, Capellán del hospital

1 (FACR 2013).

de *Howard University* y Ministro de *Christian Ministries of Michigan Park* también en Washington, DC y Lewis G. Whittle, Camino Missionario Global y pastor a los Hispanos de *Chantilly Bible Church*, Chantilly, Virginia.

Un agradecimiento especial también para Reid Satterfield, quien ha sido mi mentor y editor de la edición en ingles.[1] Reid fue coordinador de *Pierce Center* para Desarrollo de Discípulos de *Gordon-Conwell Theological Seminary* en Charlotte, Carolina del Norte y en ese rol me invitó a la confraternidad. *Pierce Fellowship* se convirtió en mi casa lejos de casa dentro del seminario y me ayudó a desarrollar mi pasión por el discipulado y por la espiritualidad, lo cual floreció en este libro.

La edición en español es una obra del corazón. Llegué a la fe por la película, *La Cruz y El Puñal*.[2] Como joven, no sabía que el pandillero Nicky Cruz era puertorriqueño. Conocí su historia como adulto, trabajando con el ministerio hispano.[3] Por esto,

---

1 Reid fue un misionero para *Inland Mission* (doméstico) de África y en este momento sirve como Coordinador de Discipulado y Formación Espiritual para la Misión Anglicana de San Patricio, Charlotte, Carolina del Norte. También es profesor de Perspectivas que provee recursos educativos a las iglesias para participar en las misiones del mundo y proveer dirección espiritual a los líderes de las iglesias en y alrededor del área metropolitana de Charlotte.
2 *The Cross and the Switchblade.* Ross Records (DVD 2002) con Pat Boone y Erik Estrada.
3 Fui pasante pastoral y voluntario (2011-2014) en *Riverside Presbyterian Church* en Sterling, Virginia. También, soy voluntario en el *Almuerzo para el Alma* localizado en *Trinity Presbyterian Church* en Herndon, Virginia.

agradezco a la comunidad hispana por aumentar mi fe cristiana y por su paciencia conmigo como estudiante de la lenguaje española. Un agradecimiento en particular, a mis editoras, Nohemi Zerbi y Vanesa Dávila-Luciano[4], quienes hicieron esta edición posible.

---

4 Vanesa es también conocida por su música (http://www.DexiosMusic.com).

INTRODUCCIÓN

¿Porqué es Importante la Espiritualidad?

¿Quién es Dios?

¿Quiénes Somos?

¿Qué Debemos Hacer?

¿Cómo Sabemos?

La espiritualidad es la creencia vivida.[1] Aún si no estamos totalmente conscientes de ella, cada una de nosotros tiene una teología que practicamos. Cuando insistimos en hacer cosas a nuestra manera, por ejemplo, le negamos a Dios la soberanía sobre esa porción de nuestra vida[2], creando un punto ciego. Si luego las circunstancias nos obligan a repensar lo que hemos hecho, entonces podemos encontrarnos viviendo una teología que no hubiésemos elegido dado más tiempo para reflexionar.

Un cuadro útil para reflexionar sobre nuestra teología personal viene en la forma de cuatro preguntas tomadas de la filosofía.[3] Estas preguntas son:

1. ¿Quién es Dios? (metafísica)

2. ¿Quiénes somos? (antropología)

3. ¿Qué debemos hacer? (ética)y

4. ¿Cómo sabemos? (epistemología)

Al comenzar nuestros devocionales nos centraremos en esas preguntas y luego volveremos a ellas, de vez en cuando, para ver lo que podemos aprender.

---

1 Chan (1998, 16) escribe: «*La espiritualidad se refiere a un tipo de vida que se formó por un tipo de teología espiritual particular. La espiritualidad es una realidad vivida...*» («*Spirituality refers to a kind of life that is formed by a particular type of spiritual theology. Spirituality is a lived reality...*»).
2 «*Así que Dios tiene misericordia, del que quiere y al que quiere endurece*» (Rom. 9:18).
3 Kreeft (2007, 6).

DÍA 1: ¿Porqué es Importante la Espiritualidad?

«Jesús le dijo: Yo soy el camino, la verdad y la vida; nadie viene al Padre sino por Mí» (Jn. 14:6).

*A*lgunas preguntas desafían respuestas simples: ¿Quién es Dios? ¿Quiénes somos? ¿Qué debemos hacer? ¿Cómo sabemos?

Hace pocos años en la competencia global entre corredores de maratón, los etíopes reinaban.

Los corredores keniatas tenían talento, pero los etíopes entrenaban mejor y estaban mejor preparados. El entrenar a gran altura aumentó sus fuerzas; el entrenar como un equipo aumentó su competitividad.

Pero a los africanos no siempre se les permitió competir en partidos internacionales. El derecho a competir no vino súbitamente, sino que comenzó con la lucha para abolir la esclavitud.

William Wilberforce, un cristiano devoto, dedicó casi toda su vida entera a la lucha para abolir la esclavitud en Gran Bretaña durante el siglo XIX.

Más tarde escribió sobre la necesidad de la formación espiritual, diciendo:

> *Nadie espera alcanzar la altura del aprendizaje, o las artes, o el poder, o la riqueza, o la gloria militar, sin una*

resolución vigorosa, diligencia extenuante, y persever-

ancia constante. Sin embargo, esperamos ser cristianos

sin trabajo, estudio o investigación.[1]

Wilberforce debe haber estado pensando en mí. Por muchos años, yo había profesado a Cristo como mi Salvador, pero no como Señor. Mi fe estaba incompleta. Más tarde, cuando aprendí a aplicar la soberanía de Cristo en mi vida, comencé a experimentar un sentido sostenido de gozo cristiano.

El contenido de la fe es crítico. *«Ahora bien, la fe es la certeza (sustancia) de lo que se espera, la convicción (demostración) de lo que no se ve»* (Heb. 11:1). Si tengo fe que las cáscaras de huevo son blancas, he definido solamente el color de las cáscaras. Pero, si tengo fe de que Cristo resucitó de entre los muertos, mi perspectiva cambia por completo —Dios existe y la muerte no tiene la última palabra. El llamado de la fe define nuestra identidad en Cristo.[2]

La idea de la fe cristiana se ha convertido fuera de moda.

El mundo posmoderno en que vivimos es a menudo como el de-

---

1 *«no one expects to attain the height of learning, or arts, or power, or wealth, or military glory, without vigorous resolution, and strenuous diligence, and steady perseverance. Yet we expect to be Christians without labor, study, or inquiry».* (Wilberforce 2006, 5-6)

2 *«Por medio del llamado de Jesús los hombres se convierten en individuos. Se les urge a decidir, y esa decisión la pueden hacer ellos mismos».* (*«Through the CALL of Jesus men become individuals. Whilly-nilly, they are compelled to decide, and that decision can only be made by themselves».*) (Bonhoeffer 1995, 94).

sierto del Sahara, donde las montañas de arena son movidas por el viento diariamente. Seguir direcciones en un mundo de arena cambiante requiere un marcador topográfico para determinar la posición. Parado sobre un marcador, el mapa muestra la dirección y la distancia. Pero sin el marcador, el mapa se convierte en un rompecabezas —como palabras sin definiciones— cuyas piezas sólo tienen sentido relativa la una con la otra. Las escrituras son nuestro mapa, nuestro marcador es Jesucristo.[3]

No siempre brilla el sol ni tampoco llueve todos los días. La espiritualidad es vivir lo que sabemos que es verdad en días buenos y malos.

Padre Todopoderoso, gracias por la persona de Jesús de Nazaret, quien vivió como un modelo a seguir para los pecadores, quien murió como un rescate por los pecados y cuya resurrección nos da la esperanza de salvación. En el poder del Espíritu Santo, inspira las palabras escritas e ilumina las palabras leídas. En el nombre de Jesús. Amén.

---

3 Benner (2002, 26) veía el rol de un director espiritual como el de apuntar a la obra de Dios en la vida de una persona.

Preguntas

1. ¿Qué te llevo a estudiar este libro?

2. ¿De qué manera son similares el entrenamiento físico y el espiritual?

3. ¿Quién fue William Wilberforce y por qué lo recordamos?

4. ¿Qué es la fe? ¿Por qué es importante lo que creemos?

5. ¿Qué incertidumbres experimentas en tu vida?

6. ¿Por qué es las escrituras como un mapa? ¿Cómo se compara Jesús a un marcador?

DÍA 2: ¿Quién es Dios?

«Los cielos proclaman la gloria de Dios, Y el firmamento anuncia la obra de Sus manos. Un día transmite el mensaje al otro día, Y una noche a la otra noche revela sabiduría. No hay mensaje, no hay palabras; No se oye su voz» (Sal. 19:1-3).

Cuando era joven, quería ser piloto. Aprendí a leer un mapa, trabajar con una brújula, y navegar usando las estrellas para perseguir mi sueño. La idea de que Dios usara una estrella para guiar a los magos al niño Jesús me encantaba. Igualmente fascinante es cómo Dios se nos revela en la historia de la creación. La Biblia empieza diciéndonos que *«en el principio Dios creó los cielos y la tierra»* (Gén. 1:1). ¿Qué nos dicen estas sencillas palabras acerca de Dios?

La frase —*«en el principio»*— nos dice que Dios es eterno. Si la creación tiene un principio, entonces también debe tener un final. Esto implica que la creación no es eterna, pero el Dios quien la creo debe serlo. Si nuestro Dios eterno creó el tiempo, tanto el principio como el final, entonces todo lo que Dios creó es suyo. Así como el alfarero es amo sobre la vasija que hace, Dios es soberano sobre la creación (Jer. 18:4-6). Dios no se ganó la creación en un partido de pulsear ni la compró en la Internet ni la encontró en la calle, la creó —Dios es un trabajador.[1]

La soberanía de Dios está reforzada en la segunda parte de esta frase cuando dice: «*creó Dios los cielos y la tierra*». Aquí las dos palabras —«*los cielos y la tierra*»— forman una estructura poética llamada un *merismo*. Un merismo es una herramienta literaria que se puede comparar a un segmento de una línea definida por sus puntos extremos. Entonces, la expresión «*los cielos y la tierra*» significa que Dios creó todo.[2] Porque él creó todo, Dios es soberano sobre la creación, y la soberanía implica posesión.[3]

Entonces, desde la primera frase en la Biblia sabemos que Dios es eterno y es soberano. Sabemos también que Dios es santo. ¿Por qué? ¿Son iguales el cielo y la tierra? No. El cielo es la residencia de Dios. De la historia del encuentro de Moisés con Dios cerca de la zarza ardiente (Ex. 3:5), aprendimos que cualquier lugar donde Dios está es santo, en el sentido de estar apartado (dedicado) o sagrado (santificado). Como Dios vive en el cielo, debe ser santo. La tierra no lo es. Aún así, Dios los creó y

---

1 Whelchel (2012, 7).

2 El cielo y la tierra pueden también ser interpretados como indicadores de los atributos de Dios tales como la trascendencia y la inminencia (Jer. 23:23-24; Dyck 2014, 99).

3 La naturaleza del Dios eterno es también descrita con un merismo: «*Yo soy el Alfa y la Omega, dice el Señor Dios, el que es y que era y que ha de venir, el Todopoderoso*» (Ap. 1:8).

Una Guía Cristiana a la Espiritualidad

es soberano sobre ambos (Ap. 4:11).

Génesis nos da otras dos imágenes importantes de Dios.

La primera imagen viene de Génesis 1:2. Aquí, el Espíritu de Dios (o el aliento) es representado como un ave que se movía sobre las aguas.[4] El revolotear requiere tiempo y esfuerzo, lo que sugiere una participación activa y un cuidado por la creación. La Biblia habla extensamente sobre Dios y su provisión para nosotros —la provisión de Dios. El aliento se traduce como el Espíritu Santo en las lenguas originales de la Biblia —en hebreos (Antiguo Testamento) y en griego (Nuevo Testamento).[5]

La segunda imagen aparece en Génesis 2, donde se relata la historia de la creación en términos más personales. Así como el alfarero trabaja con barro (Is. 64:8), Dios forma a Adán y lo pone en un jardín. Luego, él habla con Adán y lo dirige a dar nombres a los animales. Y cuando Adán se siente solo, Dios crea a Eva de una costilla o del lado de Adán —un lugar cerca de su corazón.

Por consiguiente, Génesis 1 y 2 ilustran tres imágenes de Dios: (1) Dios, como un creador poderoso; (2) Dios, quien

---

4 Esta imagen de Dios como un ave aparece también en las historias del bautismo de Jesús. Por ejemplo, en Mateo 3:16 leemos: «*Después de ser bautizado, Jesús salió del agua inmediatamente; y los cielos se abrieron en ese momento y él (Juan) vio al Espíritu de Dios que descendía como una paloma y venía sobre Él*» (Mt. 3:16).

5 El aliento mismo es necesario para la vida —una parte de la provisión de Dios.

cuida meticulosamente a su creación; y (3) Dios, quien camina con nosotros como un buen amigo. Aunque la Trinidad no está articulada en las escrituras hasta en el Nuevo Testamento, la autorevelación de Dios como la Trinidad aparece desde el principio (Chan 1998, 41).

El Padre Nuestro da una perspectiva nueva sobre Génesis 1:1 cuando Jesús dice: «*Venga Tu reino. Hágase Tu voluntad, así en la tierra como en el cielo*» (Mt. 6:10). Porque somos creados a la imágen de Dios, queremos que nuestro hogar este moldeado a Dios.

Padre Celestial, te alabamos por crear los cielos y la tierra; por crear todo lo que es, lo que fue, y lo que vendrá; por crear las cosas visibles e invisibles. Te alabamos por compartirte a ti mismo en la persona de Jesús de Nazaret; nuestro modelo en la vida, redentor en la muerte, y la esperanza para el futuro. Te alabamos por el Espíritu Santo, quien nos reviste con dones espirituales y sustenta todo las cosas. Abre nuestros corazones, ilumina nuestras mentes, fortalece nuestras manos en Tu servicio. En el nombre de Jesús. Amén.

❁

Preguntas

1. ¿Qué parte de la historia de la creación es la más significativa para ti?

2. ¿Cómo es un *merismo* útil para entender la naturaleza de Dios? ¿Cómo se diferencia de la idea de la imagen?

3. ¿Cómo se relaciona Dios al tiempo? ¿Cómo lo sabemos?

4. ¿Qué tiene de especial el cielo? ¿Cómo lo sabemos?

5. ¿Cuáles son los atributos de Dios? ¿Qué significa santo, eterno, y soberano?

DÍA 3: ¿Quiénes Somos?

«Jesús salió con Sus discípulos a las aldeas de Cesarea de Filipo; y en el camino preguntó a Sus discípulos: ¿Quién dicen los hombres que soy Yo? Le respondieron: Unos, Juan el Bautista; y otros, Elías; pero otros, uno de los profetas. El les preguntó de nuevo: Pero ustedes, ¿quién dicen que soy Yo? Tú eres el Cristo (el Mesías), Le respondió Pedro» (Mc. 8:27-29).

¿Quién es Jesucristo para ti?

La pregunta de Jesús a los discípulos —*«¿quién dicen los hombres que soy?»*— es una pregunta que demanda una respuesta. ¿Es Jesús un buen maestro, un profeta, un Salvador, o Señor de Señores? Nuestra respuesta depende de nuestra creencia sobre la identidad de Cristo (Chan 1998, 40). También nos informa acerca de quiénes eramos, quiénes somos ahora, y quiénes seremos en el futuro.

Si Jesús es solamente un buen maestro, entonces nuestras acciones están motivadas por obligación abstracta. En este caso, es como si nos guiaramos por los *Diez Mandamientos*. La ley tiene la virtud de ser clara y concreta. Los *Diez Mandamientos* esbozan la ley moral mientras que las otras partes del Pentateuco nos presentan tanto la ley ceremonial (cómo alabar) y la ley particular (jurisprudencia o qué hacer en casos específicos). Sin embargo, la naturaleza abstracta de esta obligación significa que depende del compromiso del corazón. La mente reconoce la obligación, pero el corazón no está comprometido.

Si Jesús es solamente un profeta, entonces nuestras acciones están motivadas por la expectativa abstracta. Un enfoque de la ley es posible porque el trabajo del profeta del Antiguo Testamento es recordarle a las personas de su obligación bajo la ley. Sin embargo, la mente y el corazón son contingentes —no sabemos si la profecía ocurrirá o si nos importa. En escencia, estamos en conflicto y no comprometidos.

Si Jesús es solamente un salvador, nuestras acciones son motivadas primeramente por el acto de recibir. Valoramos la certitud de la salvación, pero nunca contamos el costo (Lc. 14:27-30). En efecto, somos fanáticos —mucho entusiasmo, pero poco compromiso. Los fanáticos quieren entretenimiento y un buen partido— un equipo ganador. El *Credo de los Apóstoles*, el *Padre Nuestro*, y los *Diez Mandamientos* son cosas que tenemos memorizada, pero cuando encontramos inconvenientes, nuestra resolución desaparece.

Si Jesús es Señor de Señores, entonces nuestras acciones son motivadas por una obligación de fidelidad. En este caso, nuestra respuesta es cualitativamente diferente porque nuestro corazón y nuestra mente están comprometidos. Queremos ser como Jesús. Queremos actuar como Jesús. Queremos orar como Jesús. Queremos decir la historia de la vida de Jesús. Repentinamente, el *Credo de los Apóstoles*, el *Padre Nuestro*, y los *Diez Mandamientos* comienzan a parecer como pistas importantes de cómo orar, vivir la vida, y discutir nuestra fe con otras personas.

Jesús es también la combinación perfecta entre forma —siendo igualmente divino y humano— y contenido —sin pecados. En la mentalidad hebrea, esta combinación lo hace tanto bueno como bello (Dyrness 2001,81). La lealtad es una característica apropiada para un siervo y es una característica de Cristo mismo (Flp. 2:5-11). Nuestra lealtad a Dios, entonces, nos permite compartir en la bondad de Cristo y su belleza —¿te ha dicho alguien recientemente que eres bello? (Is. 62:5)

La iglesia está compuesta de personas que comparten algo en común —somos perdonados. Cada uno de nosotros debe caminar solo por el camino de fe, pero en ningún momento durante este camino estamos totalmente solos porque Jesús camina con nosotros. Si persistimos en el camino de fe, nuestra percepción de Jesús va a evolucionar de maestro a profeta, a salvador, a señor, y a señor de señores. Al hacer esta jornada, nuestra respuesta a la restauración e identidad evolucionará también.

Padre Todopoderoso, amado hijo, Espíritu siempre presente. Te alabamos por crearnos a Tu imagen, por caminar con nosotros incluso cuando pecamos, y por restaurarnos pacientemente en Tu favor. Fortalece nuestro sentido de Tu identidad. En el poder del Espíritu Santo, destapa nuestros oídos; descubre nuestros ojos; suaviza nuestros corazones; ilumina nuestras mentes. Moldéanos más y más a Tu imagen para que podamos también crecer. En el nombre de Jesús oramos. Amén.

Preguntas

1. ¿Quién es Jesucristo para ti?

2. ¿Cuáles son las imágenes dominantes que vemos de Jesús? ¿Cómo nuestra imagen de Jesús afecta lo que hacemos?

3. ¿Qué es lo que todos tenemos en común en la iglesia?

4. ¿Cómo cambió tu vida cuando viniste a la fe? ¿Qué hitos han ocurrido desde entonces? ¿Qué obstáculos confrontas ahora?

DÍA 4: ¿Qué Debemos Hacer?

«Dios creó al hombre a imagen Suya, a imagen de Dios lo creó; varón y hembra los creó» (Gén. 1:27).

¿Has aceptado a Cristo en todos los aspectos de tu vida? Cuando entramos a una oficina, ¿de quién es el retrato que cuelga en la pared? El retrato que cuelga en la pared usualmente es el de la persona que crea la visión de la empresa. Tal vez sea el fundador, el presidente actual, o el alto ejecutivo. ¿Por qué? Es útil para recordarnos quién está en control y los objetivos que guían nuestro trabajo.

Asuma que usted es un gerente nuevo de una oficina. Suponga que cuando su jefe estaba fuera de la oficina, entra un desconocido que cuestiona las instrucciones de su jefe, diciendo, *«tú estas a cargo ahora, tómalo con calma»*. Entonces, siendo ingenuo, declaras tu independencia, pones tus pies sobre el escritorio, y duermes toda la tarde. ¿Qué pasaría cuando tu jefe regrese? ¿Que pensarías entonces si tu jefe, aunque te despide y te muestra la puerta, te hace una promesa —*«cuando mi hijo mayor venga, tú puedes regresar y el se asegurará que ese extraño no te moleste más?»*

Esencialmente esta es la historia de Adán y Eva. La historia tiene tres partes: la creación con expectativas grandes (empleado nuevo), caen en la tentación (despedido), y la promesa de restauración a través de la intervención divina (segunda oportunidad).

La Creación. Tal como la empresa con el retrato en la pared, en nuestros corazones tenemos una retrato de Dios porque Dios nos creó a su imagen. Esta familiaridad nos da dignidad humana. Se nos ha creado con grandes expectativas y un futuro brillante.

El énfasis en Génesis 1:27 es de ser creado a la imagen de Dios juntamente con nuestro cónyuge. Fuimos creados para vivir en familias con un hombre y una mujer. Para prevenir cualquier confusión, Adán y Eva fueron bendecidos, puestos a cargo de la tierra, y se les dio una misión: *«Sean fecundos y multiplíquense».* (Gén. 1:28)

La Caída. Dios puso a Adán y Eva en el Jardín del Edén con una sola restricción que venía con un castigo:

> *pero del árbol del conocimiento (de la ciencia) del bien*
> *y del mal no comerás, porque el día que de él comas,*
> *ciertamente morirás.* (Gén. 2:17)

En la decepción a Eva, Satanás cuestionó la integridad de Dios diciendo que el castigo era una mentira: *«Ciertamente no morirán*» (Gén. 3:4). Al acceder a esta tentación, Adán y Eva pecaron y se rebelaron contra Dios. Entonces Dios los expulsó del Jardín del Edén. Fuera del Edén, Adán y Eva enfrentaron la vida fuera de la presencia de Dios y bajo la pena de muerte.

La restauración. Cuándo Dios maldijo a Satanás, él profetizó la venida de Cristo. El dijo que el reino usurpado de Satanás sería derrocado por un descendente de Eva (Gén. 3:15)

¿Qué dice la historia de Adán y Eva sobre nuestra identidad? La tensión aumenta en nuestras vidas porque no vivimos a la altura de las expectativas de Dios. Nuestra dignidad se levanta por estar creados a la imagen de Dios; pero, nosotros pecamos y nos revelamos contra Dios. La buena noticia es que cuando Cristo murió por nuestros pecados, derrocó el reino de Satanás en nuestras vidas y restauró nuestra relación con Dios, como era en el principio.

Eterno y compasivo Padre, ayúdanos a aceptarte en todos los aspectos de nuestras vidas. Gracias por crearnos a Tu imagen. Bendice a nuestras familias. Perdona nuestros pecados y rebeliones. En el poder del Espíritu Santo, restáuranos el gozo de Tu salvación. En el nombre de Jesús. Amén.

Preguntas

1. En tus propias palabras, explica la historia de Adán y Eva.

2. ¿Cuáles son las tres partes de la historia?

3. ¿Por qué es significativa la historia de Adán y Eva para nosotros hoy?

4. ¿Con qué pecados luchas tú diariamente?

DÍA 5: ¿Cómo Sabemos?

«Toda Escritura es inspirada por Dios y útil para enseñar, para reprender, para corregir, para instruir en justicia, a fin de que el hombre de Dios sea perfecto (apto), equipado para toda buena obra» (2 Tim. 3:16-17).

*E*n el Corán, los cristianos son descritos como la gente del libro. Parte de la razón de esta distinción puede ser por que el Nuevo Testamento fue el primer texto encuadernado como un libro. Los libros eran más baratos para producir y más portátiles que los pergaminos (los rollos) que se continuaban usando, por ejemplo, para inscribir la Biblia hebrea. Vale destacar que más textos del Nuevo Testamento han sobrevivido desde los tiempos antiguos que cualquier otro manuscrito antiguo.[1]

Atanasio sugirió los veintisiete libros que hoy conforman el Nuevo Testamento en su Carta de Pascua del año 367, la cual fue confirmada por el Consejo de Cartago en el año 397. El denominador común en estos libros es que sus autores eran conocidos por haber sido un apóstol o asociado estrechamente con un apóstol de Jesús. El Papa Damasco I encargó a Jerome a preparar una traducción autoritativa de la Biblia en latín en el año 382, el

---

1 La descripción técnica es que la Biblia fue la primera publicación en aparecer en circulación generalizada como códice (libro encuadernado) (Metzger and Ehrman 2005, 15). Stone (2010, 14) cita la existencia de 5,500 manuscritos en parciales o totales que lo hace el único documento del mundo antiguo con más de un par de docenas de copias.

cual se conoce comúnmente como la Vulgata (Evans 2005, 162).

La Vulgata permanecío como el texto bíblico de autoridad para la iglesia hasta la época de la Reforma, cuando los reformadores empezaron a traducir la Biblia en idiomas comunes.

Durante la Reforma, Martin Lutero, por ejemplo, tradujo el Nuevo Testamento en alemán en 1522 y siguió con una traducción del Antiguo Testamento en 1532.[2] Lutero mantuvo los veintisiete libros del Nuevo Testamento, pero siguió el Masorético (la Biblia hebrea) en lugar de la Septuagenaria (el Testamento griego) en la selección de libros para el Antiguo Testamento. Los libros no incluidos se conocen como los Apócrifos. Estos libros continuan siendo la distinción entre la Biblia Católica (Apócrifos incluidos) y las Biblias Protestantes[3] (Apócrifos excluidos) de hoy día. La siguiente lista, que excluye los Apócrifos, es tomada de la Confesión de Westminster:

ANTIGUO TESTAMENTO

Génesis, Éxodo, Levítico, Números, Deuteronomio, Josué, Jueces, Rut, 1 Samuel, 2 Samuel, 1 Reyes, 2 Reyes, 1 Crónicas, 2 Crónicas, Esdras, Nehemías, Ester, Job, Salmos, Proverbios, Ecle-

---

2 Lutero completó la Biblia en 1534 (Bainton 1995, 255).
3 Lutero tradujo los Apócrifos en 1534 pero dijo específicamente que ellos no fueron canónicos, solo buenos para leer (veo: http://www.lstc.edu/gruber/luthers_bible/1534.php).

siastés, Cantar de los Cantares, Isaías, Jeremías, Lamentaciones, Ezequiel, Daniel, Oseas, Joel, Amós, Abdías, Jonás, Miqueas, Nahum, Habacuc, Sofonías, Ageo, Zacarías, Malaquías

NUEVO TESTAMENTO

Mateo, Marcos, Lucas, Juan, Hechos, Romanos, 1 Corintios, 2 Corintios, Gálatas, Efesios, Colosenses, Filipenses, 1 Tesalonicenses, 2 Tesalonicenses, 1 Timoteo, 2 Timoteo, Tito, Filemón, Hebreos, Santiago, 1 Pedro, 2 Pedro, 1 Juan, 2 Juan, 3 Juan, Judas, Apocalipsis

En nuestro estudio de la Biblia, la actitud de Jesús sobre las escrituras guía nuestros pensamientos. Jesús dijo:

> *No piensen que he venido para poner fin a la Ley o a los Profetas; no he venido para poner fin, sino para cumplir. Porqué en verdad les digo que hasta que pasen el cielo y la tierra, no se perderá ni la letra más pequeña ni una tilde de la Ley hasta que toda se cumpla. (Mt. 5:17-18)*

La Ley de Moisés se refiere a la ley (los primeros cincos libros de la Biblia) y los Profetas (los otros libros).

El último libro que fue escrito del Antiguo Testamento probablemente es Malaquías, el cual fue escrito más o menos cuatrocientos años antes del nacimiento de Cristo. El último libro que fue escrito del Nuevo Testamento probablemente es el libro de Apocalipsis, el cual fue escrito alrededor del año 90.

La Biblia representa el trabajo de muchos autores, sin embargo, su contenido es consistente. Esta coherencia añade peso a que la Biblia fue inspirada por el Espíritu Santo.

Padre Celestial, respira en nosotros Tu aliento de vida. Suavizas nuestros corazones para recibir Tu palabra y refuerza nuestras mentes para entenderla. Restáuranos el gozo de Tu salvación. En el precioso nombre de Jesús. Amén.

Preguntas

1. ¿Cuántos años tiene la Biblia?

2. ¿Qué regla fue usada para recopilar los libros del Nuevo Testamento? ¿Qué pasó en el caso del Antiguo Testamento?

3. ¿Cuál era la opinion de Jesús acerca de las escrituras?

4. ¿Por qué decimos que la Biblia es inspirada por el Espíritu Santo?

EL CREDO DE LOS APÓSTOLES

Creo en Dios Padre Todopoderoso,

Creador del Cielo y de la Tierra;

Y en Jesucristo, su único Hijo, Señor Nuestro,

quien fue Concebido por el Espíritu Santo, Nació de la Virgen María;

Padeció bajo el Poder de Poncio Pilato,

fue Crucificado, Muerto y Sepultado;

Descendió a los Infiernos;

al Tercer Día Resucitó de entre los Muertos;

Ascendió al Cielo y está Sentado a la Diestra de Dios Padre Todopoderoso,

de donde Vendrá a Juzgar a los Vivos y a los Muertos.

Creo en el Espíritu Santo,

la Santa Iglesia Universal,

la Comunión de los Santos,

el Perdón de los Pecados,

la Resurrección del Cuerpo,

y la Vida Perdurable, Amén.[1]

---

1 Las referencias en este capítulo del Credo Apostólico se toman de la Iglesia Presbiteriana (E.U.A.) 2004, (2.1-2.3). No existen más notas al pie de estas referencias; se hará en los títulos de las devociones individuales, sino que estará marcado con este símbolo (✟).

El Credo Apostólico es una declaración de fe enfocada en la pregunta: ¿QUIÉN ES DIOS? La respuesta dada es que Dios es el Padre, el Hijo, y el Espíritu Santo quién creó el universo que nos rodea, quién vivió entre nosotros, y quién habita en nosotros.

El Credo Apostólico también responde las tres otras preguntas filosofías:

- ¿QUIÉNES SOMOS? Somos discípulos de Cristo, quienes se sienta a sus pies para aprender de él y seguir su ejemplo.

- ¿QUÉ DEBEMOS HACER? Creemos en Dios y vivimos a cabo su plan por nuestras vidas. En este proceso, aprendemos los límites saludables de Dios para nuestras vidas.

- ¿CÓMO SABEMOS? Individualmente y a través de la iglesia, nos relacionamos directamente con Dios y entendemos su voluntad para nuestras vidas a través de las escrituras.

En comparación a los *Diez Mandamientos* y el *Padre Nuestro*, el *Credo de los Apóstoles* resume la historia de Jesús, la que el Nuevo Testamento describe como el Evangelio.

DÍA 6: ¿Qué Crees Acerca de Dios?

«Porque éste es el pacto que haré con la casa de Israel después de aquellos días, declara el Señor. Pondré Mi ley dentro de ellos, y sobre sus corazones la escribiré. Entonces Yo seré su Dios y ellos serán Mi pueblo» (Jer. 31:33).

*U*na vez como líder de la juventud, le pedí a cada miembro de mi grupo que escribiera una declaración personal de fe. Esta actividad nos ocupó toda la tarde. Al final, casi todos los jóvenes tenían una declaración parecida al *Credo de los Apóstoles*. Para la fe cristiana, este credo es fundacional.

El Credo de los Apóstoles comenzó como una declaración de fe bautismal en el siglo IV (Rogers 1991, 61-62). Ha evolucionado a ser una declaración de fe clave que es frecuentemente memorizada y proclamada en servicios de adoración alrededor del mundo.

El Credo de los Apóstoles está dividido en tres partes: el Padre, el Hijo, y el Espíritu Santo. Cada parte nos ayuda a entender e identificarnos mejor con cada persona de la Trinidad. La confesión sobre el Padre se enfoca en su rol como creador. La confesión del Hijo narra la historia de Jesucristo —concepción, nacimiento, muerte, resurrección, ascensión, y retorno. La confesión del Espíritu Santo une el Espíritu al trabajo y a las doctrinas fundamentales de la iglesia.

El Credo de los Apóstoles narra principalmente la historia de Jesús. Otras partes del Credo parecen simplemente poner entre paréntesis la historia de Jesús. Esto no es casual. Cada uno de los cuatros evangélicos narra la historia de Jesús.[1] Los sermones de la iglesia primitiva, encontrados en el libro de Hechos, muchas veces se enfocan en contar la historia de Jesús. En general, el Nuevo Testamento se enfoca en la vida de Jesús y la aplicación de esta historia a nuestras vidas.

¿Cuándo fue la última vez que compartiste la historia de la vida de Jesús? ¿Cómo se ha convertido la vida de Jesús en un modelo para tu vida?

Padre Celestial, te alabamos por pastorearnos y por descansar con nosotros en medio de exuberantes jardines. Alimenta nuestras almas hambrientas y sedientas cuando nos enfrentamos con la enfermedad y la muerte. Danos refugio en Tus brazos fuertes mientras le damos refugio a los débiles entre nosotros. Danos Tu misericordia en medio de las tormentas de la vida hasta que

---

1 Los sermones por ambos Pedro (Hch. 2:14-41; 10:34-43) y Pablo (Hch. 13:16-41) se enfocan en la historia de la vida de Jesús.

nos lleves a casa (Sal. 23). En el nombre del Padre, del Hijo, y del Espíritu Santo. Amén.

Preguntas

1. Si tú fueras a escribir una declaración de fe, ¿cuáles elementos deberían ser incluídos?

2. ¿Cuáles son las tres partes del *Credo de los Apóstoles*? ¿Cuál es la más larga?

3. ¿Cuál es el enfoque en el credo acerca del Padre, del Hijo, y del Espíritu Santo?

4. Encuentra un sermón en Hechos que recita la historia de Jesús.

DÍA 7: *Creador Todopoderoso*

«Creo en Dios Padre Todopoderoso, Creador del cielo y de la tierra». ☥

*L*a humildad de Dios, expresada a través de la encarnación de Jesucristo, illumina su soberanía (Mt. 21:5).[1] Personas verdaderamente poderosas pueden ser humildes sin temor —ellos no tienen nada que probar y nadie se atreve retar su autoridad. Por razón de su poder inherente y confianza en sí mismos, se hace fácil trabajar para ellos. Como analogía, un Dios todopoderoso es generoso y se puede abordar fácilmente.[2] ¿Por qué debemos ser diferentes?

Cuando el rey David escribió —*«Los cielos proclaman la gloria de Dios, y el firmamento anuncia la obra de Sus manos»* (Sal. 19:1), él no tenía sólo la belleza de la creación en mente. El orden del universo apunta a la gloria y la soberanía de Dios. En cada parte del universo que los científicos han estudiado, las mismas leyes de física aplican. ¿Por qué debe haber sólo un conjunto de leyes físicas?

Como David implica, la orden y estabilidad del universo creado testifican a existencia y soberanía de Dios. Kurt Gödel,

---

1 Él Apóstol Pablo escribe: *«porque cuando soy débil, entonces soy fuerte»* (2 Cor. 12:10).
2 Por lo contrario, los gerentes de segundo o tercer nivel frecuentemente compiten para obtener más autoridad y ya tienen sus cuchillos a cabo.

un matemático checo, nacido en el 1906, se educó en Viena, y enseñó en la Universidad de Princeton, es famoso por su teorema incompleto publicado en 1931. Este teorema establece que la estabilidad de un sistema cerrado y lógico requiere que por lo menos una suposición se tome del sistema. Si la creación es un sistema cerrado y lógico (teniendo sólo un conjunto de leyes físicas sugiere que es así) y exhibe estabilidad, entonces necesita también una suposición externa. Dios mismo provee esta condición (Smith 2001, 89).

La soberanía de Dios asegura Su bondad por tres razones. Primero, la autoridad de Dios es legítima porque fluye de Su obra creadora, no a través de coerción, decepción, o eventos aleatorios (Jer. 18:4). La autoridad legítima es inherentemente buena.[3] Segundo, la autoridad de Dios como fundador de la ley implica que si Dios dice que la creación es buena, entonces es —por autorización— buena (Gén. 1:10). Tercero, en un sentido práctico, la soberanía de Dios reduce la incertidumbre; y la estabilidad es buena.[4]

Como hijos e hijas de Dios, debemos tomar aliento en Su soberanía porque, como herederos de Su reino, Su imagen es

---

3 Si revertimos esta declaración —existimos solamente a través de la bondad de Dios y la existencia es buena. La autoridad que hizo que esto sucediera tienía que ser buena también.
4 El pecado de Adán y Eva en el jardín fue un acto de rebelión y destruyó este aspecto de estabilidad.

también nuestra imagen (Gén. 1:27). Por lo tanto, podemos estar seguros en nuestra capacidad para lidiar con los retos de la vida porque Dios está por nosotros y con nosotros (Rom. 8:28). ¿Qué mayor bendición puede haber?

Dios Todopoderoso, te alabamos por crear los cielos y la tierra; por crear todo lo que es, lo que fue, y lo que será por siempre; y por crear cosas vistas y no vistas. Miramos el orden y la belleza de Tu creación e inmediatamente rompemos a cantar Tu alabanza. Concédenos fuerzas para reflejar Tu bondad en gozosas alabanzas a todos los que nos rodean cada día. En el nombre del Padre, del Hijo, y del Espirita Santo. Amén.

Preguntas

1. ¿Por qué es la humildad una señal de la soberanía de Dios?

2. ¿Cómo es que el orden del universo señala la existencia de Dios y su soberanía?

3. Si Dios fuese débil, ¿cómo se afectaría Su bondad?

4. ¿Cómo es que la autoridad y el poder de Dios nos beneficia directamente?

DÍA 8: *Jesucristo*

«...y en Jesucristo, su único Hijo, Señor nuestro». ✟

*L*os nombres a menudo cuentan una historia. El nombre, Jesucristo, no es una excepción.

Cuando usamos el nombre, Jesús, —en inglés— estamos transliterando el griego del Nuevo Testamento. El primer nombre de Jesús realmente era Joshua (Josué) que significa «él salva» en hebreo. Sin embargo, debido a que el griego no tiene el sonido «SH», Joshua no pudo ser transliterado con precisión en el griego del Nuevo Testamento. Por consecuencia, pedimos prestado el nombre, Jesús, del griego.

El rol de Josúe en el Antiguo Testamento es instructivo. Moisés comisionó a Josué para conducir a la nación de Israel con estas palabras:

> *Entonces el Señor nombró a Josúe, hijo de Nun, y le dijo:*
> *Sé fuerte y valiente, pues tú llevarás a los Israelitas a la*
> *tierra que les he jurado, y Yo estaré contigo*
> *(Dt. 31:23).[1]*

El primer nombre de Jesús resume su comisión. Pero, la salvación de Jesús surge cuando él nos lleva, no a la tierra prometida, pero

1 Por razón del pecado de Moisés en Meriba, Dios le prohibió a Moisés que llevara a la gente de Israel dentro de la Tierra Prometida (Núm. 20:8-12).

al cielo (Heb. 4:1-11). Además, esta salvación surge, no de la ley, sino de la gracia (Flp. 3:2-11).

Cuándo usamos el nombre, Jesucristo, Cristo no es el apellido de Jesús. Cristo es la traducción de la palabra hebrea, Mesías, en griego y significa «*el ungido*» porque durante el proceso de comisionar se derramaba aceite sobre su cabeza. Los sacerdotes, profetas, y reyes eran ungidos. El Nuevo Testamento representa a Jesús cumpliendo los roles de cada una de esos tres tipos de mesías.

El rol mesiánico de Jesús es resaltado en el libro de Hebreos donde leemos:

> *De la misma manera, Cristo no se glorificó a el mismo*
> *para hacerse Sumo Sacerdote, sino que lo glorificó el que*
> *le dijo: hijo mio eres tu, yo te he engendrado hoy; como*
> *también dice en otro pasaje: tu eres sacerdote para siem-*
> *pre segun el orden de Melquisedec*
> *(Heb. 5:5-6).*

Melquisedec era rey de Salén (llamada más tarde como Jerusalén) y también era sacerdote (Gén. 14:18).[1] Decir que Jesús es un sacerdote de la orden del Melquisedec expresa la idea que él es también un rey. En Mateo 24:1-2 Jesús profetiza la destruc-

1 En hebreo, Melquisedec significa «*rey justo*» y algunos creen que fue un título dado a Sem, el hijo justo de Noé (Gén. 9:28). El Salmo 110, que es citado en Hebreo 5:6, también asocia al rey David con Melquisedec.

ción del templo en Jerusalén, que ocurrió más tarde en el año 70, confirmando su rol profético.

Cuando confesamos que Jesús es el único hijo de Dios[2], reconocemos la divinidad de Jesús y su exclusividad como Salvador (Jn. 3:16-17). La naturaleza infinita de Dios plantea un problema para nosotros pues somos finitos. Sólo alguien divino puede cruzar la línea divisoria entre lo infinito y lo finito. En Jesucristo, Dios cruza la brecha para iniciar la conversación y servir de intermediario por nosotros —un acto de gracia— como Sumo Sacerdote (Heb. 5:1).[3]

Padre Celestial, te alabamos por mandar a través de Tu gracia a Tu hijo, nuestro Señor y Salvador, Jesucristo. Damos gloria a Tu nombre —nuestro sacerdote perfecto, profeta, y rey. En el poder del Espíritu Santo, ayúdanos también a escuchar Tu voz y obedecer Tus mandamientos. En el nombre de Jesús oramos. Amén.

---

2 El hijo de Dios es también, por supuesto, un título real estrechamente relacionado con el título que Jesús prefería llamarse a si mismo —el hijo del hombre— que de inmediato trae a la mente la profecía de Daniel 7.

3 La parábola de los labradores destaca el rol exclusivo de Jesús como intermediario (Mt. 21:33-40). La parábola del banquete de bodas se refiere al problema creado cuando rechazamos a Jesús como mediador (Mt. 22:2-14). Cuando confesamos a Jesús como el ungénito de Dios, reconocemos la soberanía de Dios para determinar los medios de nuestra salvación.

Preguntas

1 ¿De dónde viene el nombre *Jesús*? Qué significa?

2. ¿Qué significa *Cristo*? ¿Cuáles son los tres tipos de mesías?

3. ¿Quién es Melquisedec y por qué es especial?

4. ¿Por qué es la comunicación con Dios difícil? ¿Por qué es la función de intermediaro exclusivamente de Cristo?

DÍA 9: Santa Concepción

«quien fue concebido del Espíritu Santo, nació de la virgen María»
✟

¿Se siente aislado de Dios?

Este aislamiento no es accidental. En la ausencia de Cristo, existen dos brechas entre Dios y la humanidad: una brecha en el ser (infinito contra finito) y una brecha en santidad.[1] La Santa Concepción de Jesús permite cerrar ambas brechas (Mt. 1:18).

La primera brecha requiere que un mediador sea divino y a la misma vez humano. Al cerrar la primera brecha, la Santa Concepción introduce la divinidad de Cristo antes de su nacimiento. Entonces él nace por medios convencionales. Jesús puede servir entonces como un puente entre un Dios infinito y una humanidad finita.[2] Como el ángel le dijo a María: *«Porque ninguna cosa será imposible para Dios»* (Lc. 1:37).

La segunda brecha requiere que cualquier mediador entre la humanidad y Dios esté libre de pecado —santo. Jesús también cierra esa segunda brecha al vivir una vida sin pecado. Esta

---

1 La necesidad de un intermediario se articuló por primera vez por el profeta Job: *«Yo sé que mi Redentor (Defensor) vive, Y al final se levantará sobre el polvo»* (Job 19:25).
2 Heb. 2:14-17.

obra comienza cuando María asiente a la petición del ángel y continúa presente durante toda la vida de Jesús mediante su obra de enseñar, sanar, y reflejar a Dios. La obra de Jesús se completa por la cruz cuando declaró: «¡*Consumado es!*» (Jn. 19:30)

El nacimiento de Jesús sigue el tema de «*promesa y cumplimiento*» registrado en el Antiguo Testamento. La profecía —«*Una virgen concebirá y dará a luz un hijo, y le pondrá por nombre Emmanuel*» (Is. 7:14)— nos recuerda de varios embarazos milagrosos. El patrón de *profecía y embarazo* (un ejemplo de promesa y cumplimiento) se produce de nuevo en los nacimientos de Isaac (Gén. 17:17), Jacob[1], el profeta Samuel, y Juan el Bautista.[2] Sin embargo, el rol de profecías en el caso de Jesús estaba amplificado.

Por ejemplo, en el caso de Isaac, el tiempo y el método (embarazo milagroso) fueron profetizados. Para Jesús, los instrumentos (nacimiento virginal —Is. 7:14), carácter (Is. 9:6), su rol en el pacto[3], lugar de nacimiento, (Belén —Mic. 5:2), y su linaje (la casa de David —2 Sam. 7:12-16) fueron todos profetizados. Las narraciones elaboradas del nacimiento de Mateo y Lucas testifican del nacimiento humilde de Jesús. Las profecías

---

1 Gén. 21:1-3, Gén. 25:21.
2 1 Sam. 1:20; Lc. 1:5-25.
3 Dt. 18:18; Jer. 31:33.

apuntan a su naturaleza divina.

La Santa Concepción también nos recuerda de la soberanía absoluta y creadora de Dios. Cuando Dios crea el cielo y la tierra, él los crea *ex nihilo* —de la nada (Gén. 1:1).[4] La idea que Jesús es concebido *ex nihilo* (sin un padre biológico) de nacimiento y entonces fue resucitado después la muerte expresa la soberanía absoluta y creadora de Dios. También sugiere que, a través de Jesucristo, Dios permanezca activamente presente en nuestras vidas. ¡Estas son muy buenas noticias!

Dios de todas las maravillosas, te alabamos por la fidelidad de María y el nacimiento milagroso de Jesús. Cierra la brecha de santidad, tiempo, y espacio entre nosotros. Abre nuestras mentes a los milagros que experimentamos cotidianamente pero que se nos olvida considerar. Abre nuestros corazones a aceptar Tu voluntad para nuestras vidas. En el nombre del Padre, el Hijo, y el Espíritu Santo. Amén.

Preguntas

1. ¿Qué dos brechas cruzó Jesús las cuáles no podemos cruzar por nosotros mismos?

2. ¿Qué nacimientos milagrosos leemos en las escrituras?

---

4 Por ejemplo, vea: (Sproul 2003, 111).

3. ¿Cuál fue el rol de la profecía en el nacimiento de Jesús?

DÍA 10: *Sufrimiento*

«padeció bajo el poder de Poncio Pilato; fue crucificado, muerto, y sepultado» ✠

¿*P*or qué nos preocupamos por el sufrimiento de Cristo en la cruz?

El Apóstol Pedro lo dijo mejor: *«por Sus heridas fueron ustedes sanados»* (1 Pe. 2:24).[1] Las autoridades judías dijeron que Jesús afirmó ser un rey y lo acusaron de sedición (Mc. 15:2).[2] De hecho, Jesús era un rey (mesías) en el sentido judío, pero no era un rey (competidor político) en el sentido romano. Por esta razón, el gobernador romano Poncio Pilato examinó a Jesús públicamente y concluyó: *«no encuentro ningún delito en Él»* (Jn. 19:4).

La relación entre Jesús y Poncio Pilato resaltó la credibilidad de su sufrimiento inocente ya que, incluso para las normas romanas, Pilato era corrupto y brutal —Pilato había azotado y crucificado a Jesús solamente para satisfacer la sed de sangre de una multitud.[3] El vínculo con Pilato también enlaza a Jesús (y

1 Asimismo, el Apóstol Pablo escribió: «Porque mientras aún éramos débiles, a su tiempo Cristo murió por los impíos» (Rom. 5:6).
2 La crucifixión era la pena por sedición —rebelión contra el estado romano. La inscripción que Pilato puso encima de la cruz de Jesús leía en latín: *«Iesus Nazarenus rex Iudaeorum»* (Jn. 19:19 VUL). Por lo general, se registra con el acrónimo, INRI, y se traduce como *«Jesús de Nazaret, Rey de los Judíos»*.
3 Por lo contrario, cuando el Apóstol Pablo se encontró acusado de profanar el templo solamente pocos años más tarde, otro gobernador, Porcio Festo,

el *Credo de los Apóstoles*) a un personaje histórico conocido. No sólo es Pilato mencionado por Josefo, una inscripción que lleva la frase «*Pontos Pilato prefecto de Judea*» fue encontrada en 1961 en una excavación de un teatro en Cesarea.[1]

La muerte de Jesús por la cruz subraya Su sufrimiento extremo. Los romanos idearon la crucifixión como un método de ejecución de tortura —amplifica el sufrimiento infligido. Era una muerte lenta y dolorosa. La crucifixión era tan horrible que la ley romana prohibía la crucifixión de los ciudadanos romanos.

En la tradición judaica, la muerte en una cruz significaba que la persona era maldecida por Dios.[2] Esto es lo que Pablo quizo decir cuando escribió:

> *Cristo nos redimió de la maldición de la Ley, habiéndose hecho maldición por nosotros, porque escrito está: maldito todo el que cuelga de un madero* (Gal. 3:13).[3]

La implicación es que el crimen cometido era tan horrible que la persona merecía no sólo la muerte, pero maldición eterna también. El entierro detrás de una piedra garantizó que Jesús estaba

---

simplemente lo encarceló por dos años (Hch. 24:6, 27). El historiador judío del siglo I, Josefo (38-100 d. C.), escribió algunos cuentos de Pilato que lo mostró como cruel (Josefo 2009, 3.1).

1 Pilato era el romano prefecto de los años 26 a 36 (Zondervan 2005, 1714).
2 Dt. 21:22-23.
3 También véanse: Hch. 5:30; 10:39, y 13:29; 1 Pe. 2:24.

verdaderamente muerto.

Debido a que Jesús estaba sin pecado y permaneció inocente, incluso hasta la muerte, fue la única persona que después de Adan vivió sin pecados (Heb. 4:15). A diferencia de Adán, Jesús, cuya vida sin pecado llegó a un final abrupto, nunca cayó en tentación. En la muerte, fue una ofrenda perfecta (sin conocer derrota ni defecto) para los pecados (Lev. 4:22-24). De hecho, Jesús se convirtió en el Segundo Adán, que revirtió la maldición de la muerte, siendo validado por su resurrección (1 Cor. 15:21-22).

De la misma manera que la santa concepción confirma la divinidad de Jesús y establece credulidad en Dios, el sufrimiento de Jesús en la cruz confirma su humanidad y su condición de sacrificio elegido de Dios por nuestros pecados.

Amoroso Padre, querido Hijo, Espíritu Santo, te alabamos por compartirte a ti mismo con nosotros a través de la persona de Jesús de Nazaret y por entrar en la historia. Tu sufrimiento en silencio en la cruz proclama Tu amor en el mundo caído. Gracias por modelar una vida perfecta, por llevar nuestros pecados en la cruz, y por concedernos la paz de resurrección. En el nombre de Jesús oramos. Amén.

Preguntas

1. ¿Cómo sabemos que Jesús vivió realmente por el *Credo de los Apóstoles*?

2. ¿Cuáles son dos pruebas que Pilato (y Jesús) en realidad vivieron?

3. ¿Quién dio testimonio de la inocencia de Jesús? ¿Por qué Jesús no fue simplemente liberado?

4. ¿Cuál fue la acusación contra Jesús? ¿Cuál fue la pena?

5. ¿Qué tipo de ejecución era la crucifixión? ¿Cuál era la interpretación en la tradición de judaica?

6. ¿Cómo fue Jesús el substituto por la pena de pecado?

7. ¿Por qué debemos preocuparnos sobre el sufrimiento de Jesús?

DÍA 11: El Infierno

«Descendió a los infiernos» ✞

¿Qué es el infierno?

Las escrituras santas tienen muchos términos coloridos que se traducen en la palabra en español para *infierno*. Ellas incluyen: *Seol* (Antiguo Testamento solamente; 65 versos), *el Abismo* (o pozo sin fondo; 13), *la Gehena* (Nuevo Testamento solamente; 11), *Hades* (9), *Abaddon* (7), y *lugar de las tinieblas* (1). El término favorito de Jesús era *Gehena* que se refiere a un vertedero del valle de Hinom, cerca de Jerusalén donde se quemaba la basura.[1]

Sin embargo, la lista de palabras para el infierno dada aquí está incompleta porque la mayoría de las expresiones que se refieren al infierno son metafóricas. Por ejemplo, el ángel en Apocalipsis 18:2 grita en una visión de Juan:

> *¡Cayó, cayó la gran Babilonia! Se ha convertido en habitación de demonios, en guarida de todo espíritu inmundo y en guarida de toda ave inmunda y aborrecible...*

En otras palabras, el infierno es un tipo de cárcel reservada para

---

1 γέεννα (BDAG 1606).

los demonios, los pecadores, y los ritualmente inmundos —todo tipo de criaturas que se oponían al cielo y a Dios mismo (Is. 7:11). El infierno está sellado para todos, excepto para Dios (Job 26:6).

También existen visiones no bíblicas del infierno. Por ejemplo, C.S. Lewis (1973, 10-11) escribió que el infierno es un lugar donde la gente voluntariamente se mueve más y más lejos el uno del otro.

Entonces, ¿porqué se va Jesús al infierno por tres días?

La repuesta aceptable culturalmente en el siglo I sería que Jesús había muerto y allí era el lugar donde los muertos iban. Por ejemplo, leemos: «*Porque no hay en la muerte memoria de Ti; En el Seol, ¿quién Te da gracias?*» (Sal. 6:5) ¡Pero Jesús no era solamente otro tipo muerto!

Una repuesta mejor es que con la crucifixión, la soberanía de Dios sobre el cielo y la tierra —incluso el infierno— era confirmada (Sal. 139:8). Esto podría explicar, por ejemplo, porqué la muerte de Jesús fue acompañada por un terremoto y por la resurrección de santos muertos de las tumbas en Jerusalén (Mt. 27:51-54).[1]

La mejor repuesta a la pregunta es que la razón por la cual Jesús descendió a los infiernos sigue siendo un misterio.

---

1 Por supuesto, más tarde la muerte y Hades también fueron derrocados con la resurrección.

Pero, la existencia del infierno no continúa siendo un misterio —Jesús fue allí.

Señor soberano, Dios de los vivos y de los muertos. Gracias por preocuparte lo suficiente por nosotros que enviaste a Jesús al infierno y regresó para nuestro beneficio. Mantén nuestros corazones y mentes a salvo de la fascinación por el mal. Pon nuestras mentes en el cielo para que nuestros corazones puedan descansar contigo, ahora y siempre. En el nombre del Padre, del Hijo, y del Espíritu Santo. Amén.

Preguntas

1. ¿Por qué desciende Jesús al infierno durante tres días?

2. ¿Cuáles son algunos de los nombres para el infierno en las escrituras? ¿Cuál usó Jesús y a que se refiere?

3. ¿Qué es único acerca del recuento de Mateo sobre la muerte de Jesús?

4. ¿Existe el infierno? ¿Cómo lo sabemos?

DÍA 12: Resurrección

«al tercer día resucitó de entre los muertos» ✢

¿*P*or qué debemos creer en la resurrección? La verdad de la resurrección se convirtió en la confesión más importante de la iglesia primitiva. En el evangelio de Juan la fe consiste, principalmente, de la creencia en la resurrección (Jn. 20:25-29). La carta de Pablo a los romanos lo dice claramente: *«que si confiesas con tu boca a Jesús por Señor, y crees en tu corazón que Dios lo resucitó de entre los muertos, serás salvo»* (Rom. 10:9). Pablo sabía esta verdad por si mismo por que el Cristo resucitado se le había aparecido en el camino a Damasco —una historia registrada tres veces en el libro de los Hechos.[1] En un momento dado, el Cristo resucitado se le apareció a más de quinientos testigos un sólo lugar (1 Cor. 15:6).

El acontecimiento de la resurrección cambia las vidas de los apóstoles para siempre. Diez de los once apóstoles fieles murieron una muerte de mártir.[2] El hecho de que estaban dispuestos a morir por su creencia es evidencia fuerte e histórica de la ver-

---

1 La conversión de Pablo fue tan poderosa que él dejó de ser el perseguidor principal de la iglesia y se convirtió en uno de los evangelistas más fuertes de la iglesia primitiva (Hch. 8:3). También véase Hch. 8:3-5, 22:6-8; y 26:13-15.
2 El Apóstol Juan fue el único de los once discípulos fieles que no murió como un mártir (Fox and Chadwick 2001, 10).

dad de la resurrección.

El sermón de Pedro en Pentecostés en Jerusalén habla tanto de la profecía de la resurrección como del testimonio de testigos oculares. Pedro cita esta profecía: «*Porque Tú no abandonarás mi alma en el Seol, ni permitirás que Tu Santo sufra corrupción*» (Sal. 16:10). El contexto original del Salmo apunta al Rey David[3], pero Pedro, como un apóstol, interpreta correctamente «el Santo» como referencia también a Jesús (Hch. 2:27-31). El próximo comentario de Pedro es importante: «*A este Jesús resucitó Dios, de lo cuál todos nosotros somos testigos*» (Hch. 2:32). El argumento de Pedro fue tanto veraz como convincente porque convenció a más de tres mil personas a ser bautizados ese día (Hch. 2:41).

Por lo menos hay tres razones que nos motivan a creer en la resurrección. La razón primera fue dada por Pablo: «*y si Cristo no ha resucitado, la fe de ustedes es falsa y todavía están en sus pecados*» (1 Cor. 15:17). Obtenemos perdón de Dios sólo por medio del sacrificio perfecto de Cristo como el Cordero de Dios. La segunda razón sigue a la primera. La resurrección de Jesús hace que nuestra resurrección y la vida eterna sean posibles. La tercera razón es que en la resurrección Dios ha dado pruebas a

---

3 Este verso es un doblete hebreo. Las dos partes repiten el mismo pensamiento. Por esta razón, el santo se refiere a mi alma.

todos que Jesús es el Cristo (Hch. 17:31). Entonces, el camino de Jesús en la vida, la muerte, y la resurrección se convierte en un modelo para nuestra fe y la única fuente de nuestra salvación (Flp. 3:10-11).

Padre Celestial, te alabamos por el ejemplo fiel de Jesús en la vida, la muerte, y la resurrección. En el poder del Espíritu Santo, destierra nuestras dudas, prospera nuestra fe, sana nuestras almas enfermas de pecado, y danos paz. En el nombre de Jesús oramos. Amén.

Preguntas

1. ¿Cuál es la evidencia para la resurrección?

2. ¿Qué evidencia citó Pedro en su sermón el día de Pentecostés?

3. ¿Cuál fue la confesión de la iglesia primitiva?

4. ¿Qué evidencia proviene de la vida de Pablo?

5. ¿Cuáles son las tres razones por la cual la resurrección es importante para nosotros?

DÍA 13: *Ascensión*

«ascendió al cielo y está sentado a la diestra de Dios Padre Todo-poderoso» ✝

*L*a ascensión es donde Jesús comisiona la iglesia.

Los evangelios de Marcos y Lucas describen brevemente la ascensión de Cristo. Por ejemplo, Marcos reportó la ascensión con estas palabras: *«Entonces, el Señor Jesús, después de hablar con ellos, fue recibido en el cielo y se sentó a la diestra de Dios»* (Mc. 16:19). Lucas 24:50 puso la ascensión cerca de Betania. El evangelio de Mateo finaliza, no con la ascensión pero con la Gran Comisión[1], mientras que el evangelio de Juan se centra más en las instrucciones que fueron dadas a los discípulos.[2]

La clave para entender la ascensión se planteó en el libro de Hechos, donde se delinea un paralelismo entre la obra de Jesús y la obra de los discípulos. En la vida terrenal y en la vida después la muerte, Cristo es nuestro modelo.

Al igual que Cristo afirma la soberanía de Dios sobre el cielo y el infierno en su muerte en la cruz, los discípulos están en-

---

1 *«Vayan, pues, y hagan discípulos de todas las naciones, bautizándolos en el nombre del Padre y del Hijo y del Espíritu Santo, enseñándoles a guardar todo lo que les he mandado; y ¡recuerden (he aquí)! Yo estoy con ustedes todos los días, hasta el fin del mundo»* (Mt. 28:19-20).
2 Por ejemplo: *«Jesús le [Pedro] dijo: Si Yo quiero que él se quede hasta que Yo venga, ¿a ti, qué? Tú, Sígueme»* (Jn. 21:22).

cargados de afirmar la soberanía de Dios sobre la tierra después la ascensión. Justo antes de ascender, Jesús dijo:

...pero recibirán poder cuando el Espíritu Santo venga sobre ustedes; y serán Mis testigos en Jerusalén, en toda Judea y Samaria, y hasta los confines de la tierra (Hch. 1:8).

Este ministerio paralelo es también descrito en el evangelio de Juan: «*como el Padre Me ha enviado, así también Yo los envío*» (Jn. 20:21). Vemos este lenguaje paralelo también en el *Padre Nuestro*: «*Venga Tu reino. Hágase Tu voluntad, Así en la tierra como en el cielo*» (Mt. 6:10).[1]

La ascensión de Cristo también incluyó un momento más liviano en las escrituras:

Después de haber dicho estas cosas, fue elevado mientras ellos miraban, y una nube Lo recibió y Lo ocultó de sus ojos. Mientras Jesús ascendía, estando ellos mirando fijamente al cielo, se les presentaron dos hombres en vestiduras blancas, que les dijeron: Varones Galileos, ¿por qué están mirando al cielo? Este mismo Jesús, que ha sido tomado de ustedes al cielo, vendrá de la misma manera, tal como Lo han visto ir al cielo. (Hch. 1:9-11)

---

1 También: Lc. 24:49, Hch. 1:4, y Jn. 14:26. La Gran Comisión en Mt. 28:18-20 también enlaza el cielo y la tierra en evangelismo.

En otras palabras, ¡no se supone que los cristianos dejen sus cabezas en las nubes y se pongan a mirar el espacio![2] Pero, el lenguaje, que parecía jocoso, es realmente grave e incluye una advertencia. Se les advierte a los discípulos quienes dejan sus cabezas en las nubes que Cristo volverá, que es, tal vez, una alusión a la parábola de los talentos que incluye el juicio de los siervos perezosos (Mt. 25:14-28).

La ascensión nos conecta a la obra de Cristo en el cielo. El libro de Hebreos describe la obra de Jesús como Sumo Sacerdote en el cielo, que intercede en oración por nosotros (Heb. 8:1-2). Debe ser de gran consuelo que Jesús, quien sabemos, se sentará en el juicio cuando todos comparezcamos ante el tribunal de Dios.[3] Si el cielo trabaja como la Estrella del Norte en nuestro camino cristiano, la obra constante de Cristo es el corazón de esa estrella (Alcorn 2006, xi). Y Cristo inspira también la obra de la

---

2 C.S. Lewis (2001, 134) observó: «*Si lee la historia, encontrará que los cristianos quienes hicieron más por el mundo presente fueron también aquellos que pensaron más en el mundo por venir*». («*If you read history you will find that the Christians who did most for the present world were just those who thought most of the next*»).

3 Como el apóstol Pablo dijo a los atenienses: «*Por tanto, habiendo pasado por alto los tiempos de ignorancia, Dios declara ahora a todos los hombres, en todas partes, que se arrepientan. Porque El ha establecido un día en el cual juzgará al mundo en justicia, por medio de un Hombre a quien El ha designado, habiendo presentado pruebas a todos los hombres cuando Lo resucitó de entre los muertos*»(Hch. 17:30-31).

iglesia aquí en la tierra.

Dios Todopoderoso, te alabamos por la seguridad de Tu amor para nosotros en Jesucristo. Siguiendo Tu ejemplo, ablanda nuestros corazones, agudiza nuestras mentes, y fortalece nuestras manos en Tu servicio. En el poder del Espíritu Santo, danos el poder de ser siervos fieles de la historia evangélica. En el nombre precioso de Jesús. Amén.

Preguntas

1. ¿Dónde se mencionó la ascensión en las escrituras y cuál es su contexto?

2. ¿Cómo es que la obra de Cristo y nuestro trabajo se conectan?

3. Da un ejemplo del humor de las escrituras. ¿Qué nos enseña?

4. ¿Por qué la obra de Cristo como sumo sacerdote en el cielo nos da consuelo?

DÍA 14: Juicio

«de donde vendrá a juzgar a los vivos y a los muertos». ✝

¿Estás listo para tu examen final?

Cuándo enseñaba en la universidad, mi examen final nunca fue una sorpresa. Una semana antes del final les daba a los estudientes diez preguntas como tarea y anunciaba que cinco de las preguntas estarían en el examen. Ahora, éstas no eran preguntas fáciles —mis preguntas estaban diseñadas para alentar a mis estudiantes a dominar el tema. Mis estudiantes destacados respondían a todas las preguntas y entregaban todas las respuestas el día del examen; mis estudiantes perezosos venían con las manos vacías y sin preparación a responder a las preguntas.

El juicio de Dios funciona un poco como una prueba para llevar a la casa. Sabemos las preguntas de las escrituras y de nuestra continua relación con Dios y su pueblo, la iglesia. Los mandamientos de Jesús y la enseñanza no son una sorpresa.

Así que ¿por qué crea el juicio tanto drama?

Una respuesta viene de una fuente inesperada. Immanuel Kant observó que una persona malvada no es aquel que quiere el mal, pero que en secreto se exime a sí mismos de juicio, quizá con la esperanza de que Dios no existe (Arendt 1992, 17).[1]

Otra respuesta es que muchas personas evitan la toma de decisiones con la esperanza de escapar responsabilidad. Hannah Arendt era judío alemán que, habiendo escapado los campos Nazis de exterminio antes de venir a América, la revista New Yorker le pidió que informara sobre el juicio de Adolf Eichmann en Jerusalén (1961). Eichmann era oficial alemán durante el Segunda Guerra Mundial quien organizó el programa de exterminio de los judíos conocido como «*la Solución Final*» de Adolf Hitler. Arendt estuvo en el juicio esperando ver un odioso antisemita sólo para descubrir que Eichmann era realmente un burócrata incapaz de pensar por si mismo. En el caso de Eichmann, el rostro del mal era alguien que no podía o no quería pensar por si mismo (Arendt 1992, 97-101).

¿Por qué nos interesa la historia de Hannah Arendt? Porque adoramos a un juez justo en el cielo quien espera que nosotros también emitamos juicios sensatos aquí en la tierra. Debemos ser buenos administradores de la sabiduría y del conocimiento de la verdad que se nos ha confiado. El no juzgar no es una opción —pensadores-robóticos andan el mismo camino

---

1 Kant especuló además que la verdadera justicia requiere que nuestras vidas sean examinadas en su totalidad y que esto es solamente posible cuando la resurrección y la justicia eterna e imparcial existen. Por lo tanto, la justicia y la responsabilidad requieren tanto la vida eterna como a Dios.

de Adolf Eichmann, no el camino de Jesucristo. Somos responsables tanto por los juicios que hacemos como por los que nos negamos a hacer.

Entonces, ¿a qué se parece el juicio de Dios?

El cuadro de Dios como un juez divino trae a la mente la historia del Rey Salomón y las dos prostitutas. Las dos mujeres tenían bebés pero cuando un bebé murió las mujeres lucharon por el hijo vivo. Salomón probó los corazones de las mujeres al amenazar el bebé de muerte. De esta manera, las mujeres revelaron sus verdaderos sentimientos por el bebé y él fue capaz de devolver el bebé a su madre verdadera (1 Re. 3:16-28).

Al igual que Salomón, Dios es un juez quien sigue la verdad con pasión y no acepta las mentiras.[2] ¡Ay de la persona que invita tales pruebas! Esta puede ser la razón por la cual el *Padre Nuestro* incluye la petición: «*Y no nos metas (no nos dejes caer) en tentación, sino líbranos del mal (del maligno)*» (Mt. 6:13).

Padre Todopoderoso, juez de los vivos y los muertos. Espíritu de compasión. Que podamos seguir Tu ejemplo y apasionadamente perseguir la verdad y la justicia. Ayúdanos a abrir nuestros corazones y agudizar nuestras mentes. En el poder del Espíritu Santo,

---

2 Si no te gusta la prueba de Salomón, piensa en la prueba de Job que, inocentemente, lo perdió todo (Job 1) o ¿qué hay de las pruebas de Jesús en el desierto? (Lc. 4:1-13)

danos corazones compasivos para los necesitados. En el precioso nombre de Jesús. Amén.

Preguntas

1. ¿Por qué es el juicio de Dios como un examen para llevar a la casa?

2. De acuerdo a Immanuel Kant, ¿qué atributos tiene una persona mala?

3. ¿Quién era Adolf Eichmann? ¿Qué es lo sorprendente acerca de él?

4. ¿Por qué debemos aprender a usar buen juicio?

5. ¿Cuál fue la historia del Rey Salomón y las dos mujeres? ¿Por qué deseamos saberla?

DÍA 15: El Espíritu Santo

«Creo en el Espíritu Santo» ✞

*E*l Espíritu Santo es la tercera persona de la Trinidad. El Espíritu Santo tiene un numero de nombres y descripciones en las escrituras que incluyen: Espíritu del Señor (Jue. 3:10), Espíritu de Dios (Mt. 3:16), Espíritu de verdad (Jn. 14:17), Espíritu de vida (Rom. 8:2), Espíritu del Dios vivo (2 Cor. 3:3), Espíritu de sabiduría (Ef. 1:17), Espíritu de Jesucristo (Flp. 1:19), Espíritu eterno (Heb. 9:14), Espíritu de gloria (1 Pe. 4:14), Espíritu de la profecía (Ap. 19:10), Consolador (Intercesor) (Jn. 14:16), y Dios de la paciencia (perseverancia) y del consuelo (Rom. 15:5).

La amplia gama de títulos sugiere que el Espíritu Santo juega una gran extensión de roles y sugiere a un Dios de poder quien está listo a dar muchos dones espirituales diferentes. El Apóstol Pablo escribe:

> *nadie hablando por el Espíritu de Dios, dice: Jesús es anatema (maldito); y nadie puede decir: Jesús es el Señor, excepto por el Espíritu Santo. Ahora bien, hay diversidad de dones, pero el Espíritu es el mismo. Hay diversidad de ministerios, pero el Señor es el mismo. Y hay diversidad de operaciones, pero es el mismo Dios el*

que hace todas las cosas en todos (1 Cor. 12:3-6).

Al regalar y empoderar dones espirituales, el Espíritu Santo hace la unidad cristiana posible porque estos dones hacen de la vida cristiana, la comunidad, y el servicio de la misión cristiana posible.

El Espíritu Santo a veces se aparece como un ave. En la creación, por ejemplo, somos testigo de que: «*el Espíritu de Dios se movía sobre la superficie de las aguas*» (Gén. 1:2). La palabra aquí para movimiento en el hebreo más tarde describe un águila (Dt. 32:11). En los cuatro Evangelios, el Espíritu Santo desciende en el bautismo de Jesús en forma de paloma —un símbolo apropiado de la paz de Dios.[1] Por esta razón, el Espíritu Santo, en parte, se asocia a menudo con el sacramento del bautismo.

En el evangelio de Juan, Jesús describe el Espíritu Santo diciendo:

> *Pero el Consolador (Intercesor), el Espíritu Santo, a quien el Padre enviará en Mi nombre, él les enseñará todas las cosas, y les recordará todo lo que les he dicho* (Jn. 14:26).

La palabra griega aquí para ayudante se transcribe como el paracleto, que también significa abogado, intercesor y mediador.[2] La

---

1 Mt. 3:16, Mc. 1:10, Lc. 3:22, y Jn. 1:32.
2 (BDAG, 5591).

forma verbal del paracleto también significa confortar, animar, consolar y exhortar.[3] Juan 14:26 equivale al paracleto del Espíritu Santo.

Aunque frecuentemente pensamos sobre el Espíritu Santo en términos muy personales, el acto supremo del Espíritu Santo comenzó en Pentecostés en la fundación de la iglesia. Leemos:

> *y de repente vino del cielo un ruido como el de una ráfaga de viento impetuoso que llenó toda la casa donde estaban sentados. Se les aparecieron lenguas como de fuego que, repartiéndose, se posaron sobre cada uno de ellos. Todos fueron llenos del Espíritu Santo y comenzaron a hablar en otras lenguas, según el Espíritu les daba habilidad para expresarse*
> *(Hch. 2:2-4).*

La palabra para Espíritu Santo en hebreo y griego significa a la vez espíritu y viento. El evangelismo de la iglesia y su servicio ilustran la continua provisión del Espíritu Santo para alcanzar el mundo.

---

3 (BDAG, 5590).

Padre Todopoderoso, amado Hijo, Espíritu Santo, te alabamos por crear y volver a crear nuestro mundo. Bendice la iglesia con la presencia continua y los dones espirituales del Espíritu Santo para que podamos ministrar con poder y gracia en un mundo caído. Y danos paz en todas las circunstancias. En el precioso nombre de Jesús oramos. Amén.

Preguntas

1. ¿Cuáles son algunos nombres para el Espíritu Santo? ¿Qué podemos aprender de ellos?

2. ¿Cuál es una de las formas de ave del Espíritu Santo? ¿Dónde la vemos en las escrituras?

3. ¿Cuál es un nombre especial para el Espíritu Santo?

4. ¿Cuál es el acto más conocido del Espíritu Santo?

DÍA 16: La Santa Iglesia Católica

¿Significa esa frase, *la santa Iglesia Católica*, que somos todos católicos romanos?

La confesión de fe de Westminster escribe que:

> *La Iglesia católica o universal, la cuál es invisible, está formada por todos los elegidos que han sido, son o serán reunidos como uno en Cristo, quien es cabeza de la Iglesia* (Iglesia Presbiteriana 2004, 6.140).

La iglesia universal incluye los elegidos de la iglesia a través de los tiempos, y es invisible porque sólo Dios mismo conoce su identidad. La iglesia visible, la que podemos observar, consiste de los elegidos y los no elegidos de Dios. La parábola de Jesús sobre el sembrador hace este punto al hablar del trigo y la hierba mala (cizaña):

> *Dejen que ambos crezcan juntos hasta la cosecha; y al tiempo de la cosecha diré a los segadores: Recojan primero la cizaña y átenla en manojos para quemarla, pero el trigo recójanlo en mi granero* (Mt. 13:30).

Los elegidos son santos, apartados por Dios por razones que sólo Dios entiende. La palabra *católica* significa que estamos unidos en diversidad; no significa que todos somos católicos romanos.

La doctrina de elección es una condición necesaria para que la soberanía de Dios tenga sentido. Dios nos creó y Cristo nos redimió antes que naciéramos, lo que implica que no podemos ganar ni nuestra creación ni nuestra redención (Ef. 2:1-10). Nuestra dependencia total de Dios para la salvación se hace obvia cuando verdaderamente aceptamos y sufrimos debido al pecado en nuestras vidas. Aunque nuestra inclinación a pecar ha sido transmitida por Adán y Eva, también pecamos activamente por nosotros mismos. Es como si nuestros antepasados espirituales eligieron vivir en territorio enemigo, y nosotros crecimos viviendo allí hablando el dialecto local.[1]

Por lo tanto, ninguno de nosotros hemos ganado nuestra creación o nuestra redención. El regalo de fe es libre y sin precio. El misterio de elección es que no sabemos quién es salvado o porqué. Jesús sólo dijo: *«Mis ovejas oyen Mi voz; Yo las conozco y Me siguen»* (Jn. 10:27).

Nuestra tarea es transmitir el evangelio, orar por los perdidos, y confiar que Dios es fiel, justo, y honrará sus promesas.

---

1 El efecto de estos pecados personales es más evidente cuando tenemos hijos propios y vemos con nuestros propios ojos el efecto de nuestros pecados y quebrantamiento en ellos.

Dios de todas las maravillas, te alabamos por crearnos y por rescatarnos. Ayúdanos a llorar por nuestros pecados, a confiar en Tu bondad, y a depender en Tus promesas; sana nuestras heridas; danos fe; restáuranos como hijos e hijas de Dios. En el poder del Espíritu Santo, concédenos los dones espirituales para el ministerio y la voluntad de usarlos. En el nombre de Jesús oramos. Amén.

Preguntas

1. ¿Qué significa la palabra «*católico*»? ¿Cuál es la relación entre la iglesia visible e invisible?

2. ¿Quiénes son los elegidos? ¿Cuál es la relación entre la doctrina de ser elegido y la soberanía de Dios?

3. ¿Cuáles son dos cosas fuera de nuestro control?

4. ¿Por qué somos totalmente dependientes de Dios? ¿Cuál es el rol de la confianza?

DÍA 17: La Comunión de los Santos

*L*a frase, *la comunión de los santos*, implica dos cosas: unidad y santidad. Una comunión es una amistad (asociación o compañerismo) y, en el contexto cristiano, implica una amistad de mesa —la Cena del Señor. En griego, santo y una persona santa son la misma palabra como en español. Unidad en santidad es rara en estos días.

El jardín del Edén fue inicialmente un cuadro de paz y unidad. Adán, Eva, y Dios estaban en paz el uno con el otro (Gén. 2). Satanás rompió esa unidad con la tentación que llevó al pecado (Gén. 3). Después de salir del Edén, la muerte de Abel a manos de su hermano, Caín, amplificó la desunión de la familia. La desunión fue magnificada aún más en el linaje de Caín que llevó a Lamec, quien introdujo la poligamia, además de asesinato, y asesinato por venganza. En pocas palabras, los pecados rompieron nuestra relación con Dios, con los unos con los otros, con nuestras comunidades, y con la naturaleza misma.

Para combatir esta desunión, Adán y Eva tuvieron un tercero hijo, Set, quien reemplazo a Abel como el hijo justo de Adán (Gén. 4). Set fue «engendrado» a imagen de su padre, Adán, al igual que Adán fue creado a la imagen de Dios (Gén. 5:1-3). El lineaje justo de Set mantendría una relación especial con Dios y se convirtió en un testimonio vivo al mundo. El ser este testimonio vivo fue la misión de Abraham (Gén. 12:2), la Nación de Israel (Is. 2:1-5), y, después de Pentecostés, la misión de la comunidad del Nuevo Pacto de Jesús que se convirtió en la iglesia (Hch. 1:8).

Jesús enseñó la unidad. Dijo: «*En esto conocerán todos que son Mis discípulos, si se tienen amor los unos a los otros*» (Jn. 13:35). Él alentó a los discípulos a ministrar en pares (Lc. 10:1). El ministerio compartido no era sólo una lección de evangelización; fue una lección sobre la unidad. El comentario de Jesús después del informe de los setenta y dos discípulos no viene como sorpresa: «*Yo veía a Satanás caer del cielo como un rayo*» (Lc. 10:18).

C.S. Lewis (1973, 10-11) da una imagen visual de la desunión cuando presenta el infierno como un lugar donde la gente se separa más y más. En lo ideal, la iglesia es un lugar donde la gente se acerca más y más. En la tradición de Set, la iglesia es creada a la imagen de Dios a través del Espíritu Santo en el Pentecostés. El sentido de comunidad de la iglesia, después de Pentecostés, es el retorno metafórico al Edén (Hch. 2:42-45)

El Apóstol Pablo presentó una imagen de unidad cuando comparó a la iglesia a un cuerpo con muchas partes. Observó:

«si el oído dijera: Porque no soy ojo, no soy parte del cuerpo, no por eso deja de ser parte del cuerpo» (1 Cor. 12:16). Todos somos especiales y a la vez diferentes en cuanto a los dones espirituales que traemos a la iglesia a través del Espíritu Santo. Por esta razón, celebramos los dones de los demás. Pues, nuestra unidad es en Cristo y la misión de Cristo, no en nuestras idiosincrásias y diferencias. Aún así, la necesidad de reconciliación es evidencia de que nuestras diferencias son reales y continuas.

Padre amoroso, Hijo Amado, Espíritu de Compasión, te alabamos por Tu ejemplo de unidad en santidad. Sepáranos aparte en santidad, únenos. Anímanos a utilizar nuestros dones espirituales para el bien común y a regocijarnos cuando los demás lo hacen también. En el precioso nombre de Jesús. Amén.

Preguntas

1. ¿Cuál fue el cuadro original de unidad? ¿De dónde viene la desunión?

2. ¿Quién fue Set? ¿Por qué en Génesis se necesita un linaje familiar justo?

3. ¿Qué enseñó Jesús acerca de la unidad?

4. ¿En qué manera visualizó C.S. Lewis el infierno? ¿Cómo se

compara su imagen del infierno a la iglesia?

5. ¿Cuál fue la imagen del Apóstol Pablo de la unidad?

DÍA 18: El Perdón de Pecados

¿*P*or qué es el perdón de pecados un señal de la presencia de Dios?

Las escrituras testifican sobre el amor abrumador de Dios para nosotros y su disposición a perdonar nuestros pecados. Incluso después de que Dios descubriera el pecado de Adán y Eva, no les impuso una pena de muerte inmediatamente como les había dicho anteriormente; sino que los viste con ropas como una madre preparando a su hijo para ir al primer grado en la escuela.[1] Del mismo modo, después de que Caín le dio muerte a Abel, Dios le ofrece a Caín su gracia protegiéndolo de la venganza (Gén. 4:15).

La conexión entre el amor de Dios y el perdón le permite al salmista escribir:

> *Bendice, alma mía, al Señor, Y no olvides ninguno de Sus beneficios. El es el que perdona todas tus iniquidades, El que sana todas tus enfermedades; El que rescata de la fosa tu vida, El que te corona de bondad y compasión (Sal. 103:2-4).*

---

1 Gén. 2:17; 3:21. Dios ha impuesto una consecuencia por el pecado sobre Adán y Eva, pero también les dejó «*conclusiones positivas*» para que aprendieran de sus errores y no se amargaran (Turansky and Miller (2013, 130-131).

Entonces, si el perdón de Dios está bien documentado en el Antiguo Testamento, ¿por qué se necesita que Jesús muera en la cruz?

Parte de la respuesta es para observar que el perdón de Dios para Adán, Eva, y Caín estaba providencialmente incompleto. Los tres todavía eran malditos; los tres todavía estaban apartados de la presencia de Dios. La obra de Cristo en la cruz fue comprensiva, un evento de volver a crear, como el Apóstol Pablo escribe:

> De modo que si alguno está en Cristo, nueva criatura (nueva creación) es; las cosas viejas pasaron, ahora han sido hechas nuevas. Y todo esto procede de Dios, quien nos reconcilió con El mismo por medio de Cristo, y nos dio el ministerio de la reconciliación
> (2 Cor. 5:17-18).

Cristo nos reconcilió con Dios para que pudiéramos reconciliarnos entre si. Con Adán, Eva, y Caín, esto no sucede.

Algunos psicólogos miran el perdón como un evento de replanteo. El replanteo sucede cuando se le adjunta un nuevo significado (o percepción) a un evento negativo. Por ejemplo, el psicoanalista Victor Frankl, cuando fue confinado a un campo de concentración durante la Segunda Guerra Mundial, enfocó su mente en preparar las charlas que iba a dar después de la guerra sobre su experiencia en el campamento. Al replantear su persecución, Frankl fue capaz de sobrevivir el campamento cuando otros abandonaron la esperanza y murieron (Rosen 1982, 141). El replanteo no alcanza el perdón porque el enfoque es exclusivamente en el individuo, dejando de lado la relación entre los individuos con Dios.

Cuando Dios perdona nuestros pecados, en cierto sentido replanteamos nuestra propia imagen de un rebele a un hijo de Dios. Mientras más grande sea el pecado perdonado, más profunda es la transformación habilitada. El perdón nos libera de la pena de muerte y nos permite no solo ser reconciliados con Dios, pero también con aquellos contra quienes hemos pecado y con toda la creación. Entonces cuando nosotros perdonamos a los demás, nos convertimos en embajadores de Cristo en este magnifico proyecto de reconciliación (2 Cor. 5:20).

Padre Amoroso, Hijo Amado, Espíritu de Perdón, te alabamos por Tu amor y perdón. Redímenos de nuestros pecados; dale a nuestras vidas un nuevo significado. En el poder del Espíritu Santo, danos un nuevo estatus como hijos e hijas de Dios y permítenos entrar en Tu obra de reconciliación. En el precioso nombre de Jesús oramos. Amén.

Preguntas

1. ¿Cuáles son los actos de gracia y perdón que leímos en Génesis? ¿De qué manera estaba el perdón de Dios para Adán, Eva, y Caín incompleto?

2. ¿Por qué están el amor y el perdón tan estrechamente conectados?

3. ¿De qué manera es que la reconciliación de Jesús es un perdón más completo?

4. ¿Cómo es el replanteo diferente al perdón?

5. ¿Qué tiene que ver el perdón con la pena de muerte?

DÍA 19: La Resurrección del Cuerpo

*U*na gran ansiedad que experimentan los amputados es que las partes del cuerpo que han perdido encarnan su identidad en maneras que ahora deben cambiar. Este dolor es agudo, particularmente cuando la parte del cuerpo está asociada con una actividad amada. Nuestros corazones se compadecen, por ejemplo, con un corredor que pierde una pierna o un investigador brillante que desarrolla la enfermedad de Alzheimer. Nuestro cuerpo es parte de nuestra identidad.

Dios sabe quiénes somos y siente nuestro dolor —el ser humano es estar completo del cuerpo, de la mente, y del espíritu.

Jesús levantó al hijo de la viuda porque sintió compasión (Lc. 7:13) y el lloró antes de levantar a Lázaro (Jn. 11:43) de entre los muertos (Jn. 11:35). ¿Cuán compasivo hubiese sido si levantase al hijo de la viuda de entre los muertos sólo para que el hijo continuase viviendo como un parapléjico? O si Jesús hubiese resucitado a Lázaro de entre los muertos ¿pero lo hubiese dejado incapacitado mentalmente?

Durante mi pasantía como capellán, conocí a una querida mujer quien fue resucitada después de ocho minutos de un paro cardíaco. La resucitación la dejó con una aflicción de demencia y fue obligada a vivir encerrada en una unidad de Alzheimer.

Su aflicción dejó a la familia llena de culpa sobre su decisión de permitir la resucitación.

La resucitación deja cicatrices. Las escrituras informan que el hijo de la viuda y Lázaro fueron devueltos a la salud sin cicatrices. Consecuentemente, Jesús no les resucita; él los vuelve a crear como sólo Dios puede.[1]

La resurrección es un acto de gracia —la resurrección corporal completa es la compasión.

Jesús fue resucitado corporalmente. Cuando el Cristo resucitado apareció ante los discípulos en Jerusalén, pidió algo para comer; los discípulos le dieron un pedazo de pescado asado y él comió (Lc. 24:41-43). Por otra parte, la compasión de Cristo para su propios discípulos, quien lo había abandonado, revela que Jesús, en su perfección, no retiene las profundas cicatrices emocionales que normalmente vienen con el trauma que él experimentó (Jn. 21:17).

Considere la alternativa. ¿Qué hubiese pasado si Jesús solo hubiese resucitado espiritualmente, por cuánto tiempo hubiese seguido simpatizando con nosotros? O ¿qué si Jesús hubiese retenido aflicciones del cuerpo o profundas cicatrices emocionales? ¿Seguiría todavía teniendo piedad de nosotros?

1 Meredith Kline (2006, 220-21) usa el termino, volver a crear, en referencia a la narrativa de las inundaciones y vea esta idea ya presente en 2 Pe 3:5-7. En otras palabras, Noé era un segundo Adán, incluso antes Cristo.

¿Desearíamos realmente enfrentarnos con este juez cicatrizado y potencialmente vengativo?

La resurrección de Cristo fue un evento de volver a crear, no de resucitar. La resurrección de Cristo nos da esperanza porque nuestro juez está sano y completo. Él es todavía humano y no abriga resentimientos.

Dios de toda compasión, te alabamos por compartirte a tí mismo en la persona de Jesús de Nazaret, quien en vida sirvió como un modelo para los pecadores, en su muerte nos rescató del poder de los pecados, y en su resurrección nos dejó con la esperanza de gloria. Enlaza nuestras heridas; sana nuestras cicatrices; levántanos de la muerte. Anímanos a estar conscientes de Tu presencia para que también podamos estar completamente presentes para los que nos rodean. En el poder del Espíritu Santo, háznos personas enteras. En el precioso nombre de Jesús oramos. Amén.

Preguntas

1. ¿Qué parte juega nuestro cuerpo en nuestra identidad? ¿Cómo sabemos que Dios tiene compasión?

2. ¿Cómo se diferencian la resurrección y la resucitación? ¿Qué significa a volver a crear? ¿Por qué es la resurrección un acto de

gracia?

3. ¿Cómo sabemos que Jesús fue realmente resurrecto?

4. ¿Cómo es la resurrección corporal una fuente de esperanza?

DÍA 20: La Vida Eterna

¿Qué es la vida eterna?

Nuestra vida en Cristo es un viaje que empieza finita y pecaminosamente, pero progresa hacia lo eterno y santo.[1] El progreso hacia la vida eterna requiere tanto la sanación del cuerpo como la restauración espiritual.

Normalmente pensamos en la naturaleza eterna de Dios antes que en su santidad. Este primer aspecto de la vida eterna es cuantitativo—la superación de la muerte para vivir eternamente con Dios. Sin embargo, esta línea de pensamiento está invertida: la muerte es la pena por los pecados. En otras palabras, los pecados causan la muerte. El perdón de Dios en Jesucristo quita el pecado, elimina la pena de muerte, y hace que la vida eterna sea posible (Jn. 3:36; Rom. 10:9-10).

Por desgracia, los pecados no solo inician una pena de muerte, nos contamina y dañan nuestras relaciones. Por ejemplo, la conversión del Apóstol Pablo incluyó el perdón de Dios, pero su saqueo de la iglesia no fue fácilmente olvidado (Hch. 8:2). Del mismo modo, el asesino que se perdona se le ha remov-

---

1 Por causa del pecado, estamos separados de Dios desde nuestro nacimiento y somos destinados a morir por causa de la pena de los pecados —la muerte. En Cristo, vemos la imagen de un Dios santo y eterno. Cristo afecta tanto nuestra mejora moral (de pecaminosa a santa) y la sanidad del cuerpo (de mortal a inmoral).

ido su culpabilidad, pero la vida tomada no puede ser restaurada y sus relaciones rotas permanecerán rotas.

Consecuentemente, el segundo aspecto de la vida eterna es cualitativo —removiendo la contaminación de los pecados y reconciliando nuestras relaciones a través de Cristo. El Apóstol Juan escribe: «*Y ésta es la vida eterna: que Te conozcan a Ti, el único Dios verdadero, y a Jesucristo, a quien has enviado*» (Jn. 17:3). Somos una nueva creación en Cristo y reconciliados a él, pero la reconciliación tiene dos partes. La primera parte es la reconciliación con Dios y se completa por la obra de Cristo. La segunda parte es la reconciliación con hermanos y hermanas contra quiénes hemos pecado (2 Cor. 5:17-20). Esta etapa final de la reconciliación, que sólo puede ser completada con y a través del poder del Espíritu Santo, requiere tanto la santificación de la persona como la participación de la iglesia. Esa es un área donde la disciplina espiritual puede enfocarse con mayor productividad.

La vida eterna, como consecuencia, se inicia con la obra de Cristo (la justificación y la reconciliación con Dios), pero continúa en la obra de la iglesia (la reconciliación con aquellos contra quiénes hemos pecado). La buena nueva es que, en Cristo y a través del Espíritu Santo, la obra de Dios en nosotros será completa.

Padre santo y compasivo, te alabamos por crearnos a Tu imagen. Te alabamos por el regalo de la vida eterna y el regalo de Tu hijo, Jesucristo. En el poder del Espíritu Santo, danos la fuerza para cada día. Perdona nuestros pecados; sana nuestros corazones; reconcilianos contigo y con los demás. En el precioso nombre de Jesús oramos. Amén.

Preguntas

1. ¿Cuál es la jornada de nuestra vida? ¿Cómo se engrana la creación?

2. ¿Cuáles son dos aspectos de la imagen divina?

3. ¿Qué logró el perdón de Dios en Cristo?

4. ¿Cuáles son los efectos del pecado que permanecen incluso después de perdón?

5. ¿Cuáles son dos partes cualitativas de la vida eterna?

EL PADRE NUESTRO

Padre Nuestro que estás en los Cielos, Santificado sea Tu Nombre. Venga Tu Reino. Hágase Tu Voluntad, así en la Tierra como en el Cielo. Danos hoy el Pan Nuestro de Cada Día. Y Perdónanos Nuestras Deudas (ofensas, pecados), como también Nosotros hemos Perdonado a Nuestros Deudores (los que nos ofenden, nos hacen mal). Y no nos Metas (no nos dejes caer) en Tentación, sino Líbranos del Mal (del maligno). Porque Tuyo es el Reino y el Poder y la Gloria para Siempre. Amén.

(Mateo 6:9-13)

El *Padre Nuestro* ayuda a definir nuestra identidad en Cristo y a enfocarnos en la pregunta: ¿QUIÉNES SOMOS? La respuesta dada es que somos deudores —vasallos (reyes subordinados)[1]— quienes están en necesidad del pan cotidiano y son tentados fácilmente.

El *Padre Nuestro* también ayuda a darnos respuestas a las otras tres grande preguntas filosóficas:

- ¿QUIÉNES SOMOS? Él es nuestro padre, quien es el Rey de los Reyes (soberano) —el Senor y protector— viviendo en el cielo.
- ¿QUÉ DEBEMOS HACER? Alabar el nombre de Dios.
- ¿CÓMO SABEMOS? La Biblia registra el *Padre Nuestro* dos veces.[2]

Enseñar a orar es difícil. Nuestras oraciones reflejan nuestro entendimiento de teología y cómo la practicamos —nuestra espiritualidad personal.[3] Si descuidamos la teología, entonces nuestro camino con el Señor podría ser desinformado y nuestras oraciones podrían reducirse a ser copias de las oraciones de otras

---

1 Día 35 incluye una discusión más detallada sobre vasallos y soberanos.
2 Véanse: Mt. 6:9-13 y Lc. 11:2-4. En esta discusión, sigo la versión de Mateo del Padre Nuestro por que es un poco más completa. El texto de las escrituras es un poco diferente al que se usa en la adoración por las tradiciones de la iglesia.
3 Chan (1986, 16).

personas o a balbucear.[4]

El *Padre Nuestro* revela la teología misma de Jesús y nos proporciona un modelo importante para la oración. La esperanza es que, mediante el empleo del modelo de Jesús, podemos desarrollar una teología personal mediante el estudio, la oración, y el estar atentos al obrar del Espíritu Santo en nuestras vidas.

---

4 Es probablemente lo que Jesús quiere decir cuándo dice: «*Y al orar, no usen ustedes repeticiones sin sentido, como los Gentiles, porque ellos se imaginan que serán oídos por su palabrería*» (Mt. 6:7).

DÍA 21: ¿Cuál es Tu Actitud en la Oración?

«Y decía: ¡Abba, Padre! Para Ti todas las cosas son posibles; aparta de Mí esta copa, pero no sea lo que Yo quiero, sino lo que Tú quieras» (Mc. 14:36).

$\mathcal{E}$ l *Padre Nuestro* cambió radicalmente la actitud de los discípulos sobre la oración.

Para entender lo mucho que tuvieron que cambiar las actitudes, piense en cómo un judío del siglo I vería la oración de Jesús. En el *Padre Nuestro*, entramos metafóricamente en la ciudad de Jerusalén; pasamos de la purificación ritual a los patios exteriores del templo, entramos al lugar santo, y tiramos hacia atrás el velo del lugar Santísimo. Entonces, en el propiciatorio del Arca del Testimonio, nos ponemos el efod (unas prendas ceremoniales usadas por el sumo sacerdote descritas en Éxodo 28) del sumo sacerdote y comenzamos a orar, no a YHWH, ¡sino a papá! ¡Simplemente radical!

Si esta metáfora sobre la oración parece descabellada, considera el último viaje de Pablo a Jerusalén. Pablo llegó a la ciudad compañado de otros creyentes (gentiles) probablemente griegos de Corinto (1 Cor. 16:3). Cuando Pablo entró al templo, causó un disturbio entre los judíos que lo habían visto en la ciudad y lo acusaban de traer un gentil al templo. Pablo escapó este disturbio con su vida solo porque los guardias romanos lo rescataron (Hch. 21:26-32). Esta historia destaca el hecho que un judío era incapaz de pensar que cualquier persona podría entrar en la presencia de Dios —sobre todo en el templo— sin la limpieza, la preparación, y la autoridad apropiada.

¿Cuál es tu actitud en la oración? ¿Eres reverente o arrogante al acercarte a Dios? Aunque el velo del templo se rasgó cuando Cristo murió en la cruz[1], Dios sigue siendo santo y nosotros podemos acercarnos al propiciatorio sólo por la invitación de Cristo. El respetar los límites de Dios es un paso importante cuando nos acercamos a Él en oración. *«Sean santos, porque Yo soy santo»* (Lev. 11:44), dice el Señor Todopoderoso.

Dios Todopoderoso, Hijo amado, Espíritu Santo, gracias por permitirnos entrar en Tu presencia para orar y por estar presente en nuestras vidas cotidianas. Ilumina nuestras mentes y consagra nuestros corazones. Ayúdanos a estar completamente presentes con los demás y contigo en oración. En el nombre de Jesús oramos. Amén.

---

1 La división del velo del templo se registra en los tres evangélicos sinópticos (Mt. 27:51, Mc. 15:38 y Lc. 23:45). El ejército romano destruyó el templo durante una revuelta judía en el año 70.

Preguntas

1. ¿Por qué era chocante el *Padre Nuestro* para un judío del siglo I?

2. ¿Cuáles fueron los límites de Dios en el diseño del templo?

3. ¿Cuál es la actitud apropiada en la oración? ¿Por qué?

4. ¿Por qué es difícil aprender a orar?

5. ¿Por qué es el *Padre Nuestro* un modelo teológico sorprendente?

DÍA 22: *Nuestro Padre Celestial*

«Y al orar, no usen ustedes repeticiones sin sentido, como los Gentiles, porque ellos se imaginan que serán oídos por su palabrería. Por tanto, no se hagan semejantes a ellos; porque su Padre sabe lo que ustedes necesitan antes que ustedes lo pidan. Ustedes, pues, oren de esta manera: Padre nuestro que estás en los cielos...» (Mt. 6:7-9).

*L*a primera frase del *Padre Nuestro* es obviamente: *«Padre Nuestro»*.

Venimos ante Dios como una comunidad bajo un Dios soberano. Refiriéndonos a Dios como padre nos enfoca principalmente en su soberanía, no en el género, de Dios.[1] Dios es un soberano benévolo quien desea intimidad en la relación con sus hijos e hijas. No es un dios compañero ni un dios dependiente que puede ser manipulado. Al contrario, dependemos de Dios para el pan cotidiano —no al revés.

Para aquellos padres humanos quienes no son buenos modelos a seguir, las escrituras nos recuerda que Dios es un padre para aquellos que no tienen padre (Sal. 68:5). Las escrituras aquí no le está *«dando vuelta a una frase»*. Una consecuencia de la esclavitud en Egipto, y más tarde en Babilonia, era la ilegitimidad, la cuál impidió que muchos niños judíos conocieran a

---

1 La imagen de Dios como nuestro padre hace una declaración acerca de Su carácter. Dios es espíritu; no es ni hombre ni mujer.

sus padres. La palabra, *huérfano*, se utiliza en más de cincuenta versículos de las escrituras —once veces en el libro de Deuteronomio solamente. Jesús mismo nos asegura: «*No los dejaré huérfanos; vendré a ustedes*» (Jn. 14:18). El amor de nuestro Padre celestial para nosotros, Sus hijos e hijas, inspira el amor de nuestros padres humanos, no al revés.

La espiritualidad cristiana tiene un carácter comunal —no es mi espiritualidad, es nuestra espiritualidad. En el bautismo, por ejemplo, somos presentados a Dios y a la iglesia. En la comunión, recordamos nuestro bautismo y celebramos nuestra alianza con Dios y los unos con los otros. Podemos disfrutar estar a solas con Dios mientras que reconocemos el rol vital que tiene nuestra comunidad en formar nuestra relación con Dios. A su vez, conocemos a Dios mejor al amarnos los unos a otros.

El aspecto comunitario de la intimidad de Dios implica que nuestra espiritualidad no se centra sólo en los sentimientos cálidos y difusos. Nuestra espiritualidad no es la espiritualidad del consumidor. Grandes panoramas, música, poesía, arquitectura, y logros intelectuales todos apuntan a Dios, pero nuestra espiritualidad es inherentemente relacional. Nosotros somos más propensos a ver el rostro de Dios en los rostros de los que nos rodean.

Las historias y parábolas de Jesús hacen este punto:

Por tanto, si estás presentando tu ofrenda en el altar, y allí te acuerdas que tu hermano tiene algo contra ti, deja tu ofrenda allí delante del altar, y ve, reconcíliate primero con tu hermano, y entonces ven y presenta tu ofrenda (Mt. 5:23-24).

Nuestra identidad espiritual está centrada en un Dios soberano y en relaciones correctas con Su pueblo. Las dos cosas están misteriosamente vinculadas.

La doctrina de la Trinidad refuerza este punto. Cada conversación es de tres vías. Siempre es usted, yo, y Dios. Dios está por encima de nosotros, entre nosotros, y dentro de nosotros. En la transcendencia de Dios, Dios es todopoderoso y está en control. En la encarnación de Jesucristo, Dios comparte nuestro dolor y nos provee un modelo a seguir. En la presencia del Espíritu Santo, Dios nos consuela y nos guía. Estamos en relación con un Dios en tres personas. Nuestra identidad se define de forma única e independientemente en relación a cada una de las tres personas de la Trinidad (Miner 2007, 112).

Pero, ¿por qué el *Padre Nuestro* se dirigió al cielo? La respuesta obvia es que en el cielo está el domicilio de Dios. Otra respuesta obvia es que el cielo aclara a cuál padre nos referimos.

Note que casi todas las peticiones en el *Padre Nuestro* se enfocan en Dios, ¡no en nosotros! ¿Escuchamos la voz de Dios? ¿Nos acercamos a nuestro soberano Dios con la humildad apropiada?

Padre Celestial, gracias por estar disponible para nosotros en la persona de Jesucristo y por medio de la persona y ministerio del Espíritu Santo. Elimina todo el orgullo en nosotros; danos oídos para escuchar. Santifica nuestras oraciones, nuestras vidas, y nuestra adoración. Guíanos en nuestras relaciones como padres y con nuestros familiares. En el nombre de Jesús oramos. Amén.

Preguntas

1. ¿Qué significa que Dios es soberano en nuestras vidas?

2. ¿Por qué las escrituras describen a Dios como el padre de los que no tienen padres?

3. ¿De qué manera tiene la espiritualidad cristiana de un carácter sacramental?

4. ¿De qué manera el soberano poder de Dios reduce el caos en nuestras vidas?

DÍA 23: Alaba el Nombre

«Ustedes, pues, oren de esta manera: Padre nuestro que estás en los cielos, Santificado sea Tu nombre» (Mt. 6:9).

$\mathcal{E}$l *Padre Nuestro* nos recuerda honrar el nombre de Dios de acuerdo al tercer mandamiento —*«No tomarás el nombre del Señor tu Dios en vano»*— porque todo los otros mandamientos surgen de este (Ex. 20:7).

¿Por qué observar los otros mandamientos, si deshonramos el nombre de Dios?

Las implicaciones prácticas de honrar a Dios vienen porque fuimos creados a la imagen de Dios. Porque somos creados a la imagen de Dios, la vida humana tiene valor intrínseco —valor en si mismo que no cambia con los eventos de la vida. Porque la vida tiene valor intrínseco, no podemos aceptar discriminación, injusticia, abuso, maltrato de prisioneros, armas de destrucción masiva, la eutanasia, el aborto, bebés diseñados genéticamente, y una serie de otras prácticas detestables. Nuestros derechos humanos —una medida que refleja valor intrínseco— existen porque hemos sido creados a la imagen de un Dios Santo.

Nuestra sociedad capitalista se enfoca, no en los valores

intrínsecos, sino en los valores del mercado. Los valores del mercado cambian con las circunstancias —son volátiles. Su valor como persona depende implícitamente de su productividad. Si eres joven, viejo, o incapaz de trabajar, entonces usted es un dependiente, una carga para las personas que trabajan. Inherentemente, el enfoque de valores del mercado no respeta la imagen de Dios. Cuando Dios no es honrado, nosotros tampoco no lo somos.

La fuerte influencia de los valores del mercado sobre nuestro autoimagen explica, en parte, porqué los índices de depresión son más altos entre ciertos grupos de la población —como son los jóvenes y los ancianos— quienes no pueden trabajar. Las tasas de depresión, suicidio, trastornos de ansiedad, y divorcio parecen estar correlacionadas, en parte, con el cambio de las perspectivas de empleo.

Cuando el nombre de Dios es deshonrado, somos también más propensos a la idolatría (Rom. 1:21-23). ¿Por qué adorar al Dios de la Biblia cuando mi ingreso y estatus dependen más del legado de la familia, la educación, y el trabajo duro? Así que yo, naturalmente, corro tras sustitutos de Dios que funcionen, como seguros, para amortiguar las altas y bajas de la vida. Por otro lado, puedo obsesionarme con la seguridad de mi casa, mi cónyuge, y mis hijos.

Las implicaciones de honrar el nombre de Dios se unen en el debate sobre la eutanasia —el derecho de morir. Si mi propia identidad y mi dignidad en la sociedad están ambas progresivamente sujetadas a los mismos valores del mercado, entonces me entregaría al suicidio asistido precisamente cuando necesito apoyo de mi familia. Y, naturalmente, estarían de acuerdo porque yo me he convertido en una carga financiera y emocional. Por consecuencia, la eutanasia es algo siniestro que se disfraza como compasión. Somos creados a la imagen de un Dios Santo que declara que la vida es buena y santa (Gén. 1:31).

Da gloria a Dios. Honra el nombre sobre todo nombre. Tú eres creado a la imagen de Dios.

Padre Soberano, amante de nuestras almas, Espíritu compasivo, Santo, Santo, Santo es Tu nombre. Te alabamos por crearnos a Tu imagen y por amarnos intrínsecamente, tal y como somos. Concédenos los ojos para ver a los demás como Tu los ves. Danos oídos que escuchan Tu voz por encima de las multitudes que gritan por nuestra atención. En el precioso nombre de Jesús oramos. Amén.

Preguntas

1. ¿De cuál manera están la dignidad humana y los derechos humanos vinculados a honrar el nombre de Dios?

2. ¿Cuál es la implicación de ser creados a la imagen de Dios?

3. ¿Cuál es la diferencia entre valor intrínseco y valor del mercado? ¿Por qué nos importa?

4. ¿Cuáles son algunos de los resultados de deshonrar a Dios?

5. ¿Cómo defines la idolatría? ¿Cómo se relacionan la idolatría y el honrar del nombre de Dios?

DÍA 24: En la Tierra Como en el Cielo

«Venga Tu reino. Hágase Tu voluntad, Así en la tierra como en el cielo» (Mt. 6:10).

*L*as próximas dos frases en la oración de Jesús —*«Venga Tu reino. Hágase Tu voluntad, Así en la tierra como en el cielo»*— son frases en el texto griego. Estas frases repiten el mismo pensamiento de maneras diferentes. Juntas, expresan de manera enfática la idea de que deseamos que la voluntad de Dios prevalezca en nuestras vidas, no la nuestra. Con esta oración, el discípulo radicalmente compromete el corazón y la mente para alcanzar el reino de Dios en la tierra.

Los evangelios sinópticos empiezan citando la frase famosa de Juan el Bautista: *«Arrepiéntanse, porque el reino de los cielos se ha acercado»* (Mt. 3:2). En el evangelio de Mateo, Juan el Bautista introduce la frase, *el reino de los cielos*, mientras que Jesús introduce la frase, *el reino de Dios*, en los evangeliosde Marcos y Lucas. Por lo tanto, mientras Juan el Bautista se enfoca en el juicio, Jesús hace hincapié en la salvación (Mt. 3:10; 4:23).

¿De dónde viene este término: *el reino*?[1]

Este término, el reino, sugiere la restauración del Jardín

---

1 Strassen y Gushee (2003, 22-23, 35) establecer un paralelismo entre las bienaventuranzas en Mt. 5:3-10 y Is. 61:1-11. Su enfoque en Isaías es atracti-

del Edén. En el Edén vemos un cuadro de un mundo sin pecados. Adán y Eva descansan con Dios y tienen acceso al Árbol de la Vida. Antes de la Caída, no existía la muerte, ni lucha, ni corrupción. Después de la Caída, hubo muerte, lucha, y pecados. El reino de los cielos restaura el mundo sin corrupción del Edén.

Una pista de este tema de la creación que refleja el Edén es la aparición de comportamientos extraños en animales y seres espirituales. En Isaías, por ejemplo, leemos:

> *El lobo morará con el cordero, Y el leopardo se echará con el cabrito. El becerro, el leoncillo y el animal doméstico andarán juntos, Y un niño los conducirá*
>
> (Is. 11:6).

En los acontecimientos del nacimiento y la resurrección de Jesús, los ángeles se aparecen (por ejemplo, Lc. 2:10; 24:4). Y no nos sorprende, que el árbol de la vida regrese durante la visión del Apóstol Juan del cielo (Ap. 22:2).

¿Qué concluimos de todo esto? La restauración del Edén en el nuevo reino de Dios presenta una imagen de esperanza. La resurrección de Cristo ha inaugurado un nuevo reino que aun no se ha realizado completamente. Al orar para que este nuevo reino llegue, miramos más allá de la muerte presente, la lucha, y

---

vo porque el propio Jesús cita Is. 61:1 ya en su sermón de llamado en Nazaret (Lc. 4:18-19).

los pecados al esperar por el gozo que está por venir.

Padre Celestial, te alabamos por la esperanza del futuro y por el don de la paciencia. Te alabamos por la visión del Edén y por la promesa de una nueva creación donde se dará a conocer la plenitud de la salvación y todas las cosas hechas nuevas. Porque en Cristo sabemos el final de la historia. Tú eres nuestra roca y nuestra salvación. Para Tí y sólo a Tí sea la gloria. En el nombre del Padre, el Hijo, y el Espíritu Santo. Amén.

Preguntas

1. ¿De dónde en las Escritura viene el lenguaje del reino de Jesús y cómo lo interpretamos?

2. ¿Qué pistas tenemos en Isaías y Apocalipsis acerca del tema de la creación?

3. ¿Qué era diferente antes y después de la caída a la tentación de Adán y Eva?

4. ¿Qué sugiere el lenguaje del reino acerca del futuro?

DÍA 25: La Voluntad de Dios Sea Hecha

«*Venga Tu reino. Hágase Tu voluntad, Así en la tierra como en el cielo*» *(Mt. 6:10).*

¿Quién está a cargo de tu vida?

Si Dios está en control de tu vida, entonces vas a querer participar en el avance del reino de Dios y hacer Su voluntad. Jesús los trata como la misma cosa. Recuerde, la poesía hebrea no rima, se duplica. La segunda frase repite la primera frase, pero en palabras diferente. Mientras más sutil la duplicación, más hermosa la poesía.

Para ver esta duplicación, hágase una pregunta: ¿cómo sabes que has entrado en un reino? Un reino empieza cuando se obedecen los edictos del rey. Jesús pidió: «*Venga Tu reino. Hágase Tu voluntad*» (Mt. 6:10).

La tercera frase en la oración refuerza las primeras dos. ¿Dónde Jesús pide que sea el reino? Que sea un reino en la tierra como en el cielo. ¿Dónde pide Jesús que se haga la voluntad de Dios? Que se haga en la tierra como en el cielo. Aspiramos a que la tierra sea como el cielo.

Santiago, el hermano de Jesús, hace eco de esta distinción en su contraste entre la fe y la acción. Escribe simplemente: «*la fe sin las obras está muerta*» (Sant. 2:26). Nuestra fe puede modelar el cielo, pero en la tierra de nuestras acciones deben reflejarlo.

¿Notó el recordatorio sutil del poder creativo de Dios en la oración de Jesús? Pista: «*En el principio Dios creó los cielos y la tierra*» (Gén. 1:1). La tierra está modelada después del cielo según el orden creativo. Todavía lo estaría sino fuera por la corrupción del pecado. Al orar el *Padre Nuestro*, le pedimos a Dios que restaure la creación y, en efecto, estamos participando de volver a crearlo.

Un doblete hebreo a veces toma la forma de un contraste negativo. En el Salmo 1, por ejemplo, leemos:

> *Porque el Señor conoce el camino de los justos [será prosperar], Pero el camino de los impíos perecerá [no será prosperar]* (Sal. 1:6).

Una es una bendición por la ley acatada; la otra es una maldición por la ley quebrantada. La lógica de este patrón nos invita a rellenar las piezas que faltan.

En la oración de Jesús, dos contrastes negativos son implícitos. Venga Tu reino; no que venga el mío. Que se haga Tu voluntad; no se hará la mía. La sumisión a Dios implica la elección de Dios sobre si mismo.

Padre Celestial, Hijo Amado, Espíritu Santo, te alabamos por la esperanza de la resurrección, la inspiración del cielo, y el don de Tu amor en ambos. Hemos visto nuestros nombres labrados en las palmas de Tus manos (Jn. 20:27) y estamos avergonzados. Perdona nuestros pecados. Bendícenos con Tu presencia tanto de día como de noche. En el nombre de Jesús oramos. Amén.

Preguntas

1. ¿Quién está a cargo de tu vida?

2. ¿Qué es un doblete hebreo? ¿De qué manera pueden ocurrir estas repeticiones?

3. ¿Cómo sabes que has entrado en un reino nuevo?

DÍA 26: *Danos el Pan Cotidiano*

«Danos hoy el pan nuestro de cada día» (Mt. 6:11).

¿*P*or qué pedirle a Dios por pan y no torta?

Cuando Satanás tentó a Jesús en el desierto para que convirtiera una piedra en pan, Jesús le respondió: *«Escrito está: no solo de pan vivira el hombre, sino de toda palabra que sale de la boca de Dios»* (Mt. 4:4). Jesús está citando Deuteronomio 8:3, una historia sobre la provisión cotidiana del maná de parte de Dios, durante los cuarenta años que el pueblo de Israelí pasó en el diserto, que dice:

> *El te humilló, y te dejó tener hambre, y te alimentó con el maná que tú no conocías, ni tus padres habían conocido, para hacerte entender que el hombre no sólo vive de pan, sino que vive de todo lo que procede de la boca del Señor (Dt. 8:3).*

Es humillante recibir sólo lo que se necesita. ¿Cuántos de nosotros sólo pedimos por lo esencial de la vida?

El Apóstol Pablo lo hizo. El escribió:

> *No que hable porque tenga escasez, pues he aprendido a contentarme cualquiera que sea mi situación. Sé vivir en pobreza (vivir humildemente), y sé vivir en prosperi-*

dad. En todo y por todo he aprendido el secreto tanto de estar saciado como de tener hambre, de tener abundancia como de sufrir necesidad. Todo lo puedo en Cristo que me fortalece (Flp. 4:11-13).

Al pedir sólo por el pan cotidiano, esta oración humilde de Jesús es muy irónica. ¿Por qué? La presencia de Dios es casi siempre asociada con sobreabundancia —un momento de torta. En el evangelio de Juan, por ejemplo, el primer milagro de Jesús es convertir el agua en vino —más de un centenar de litros de vino de mejor calidad de lo que se esperaba (Jn. 2:6-10). Más tarde, Jesús alimenta a cinco mil personas con sólo un par de hogazas de pan (Jn. 6:5-14). Dios no es tacaño. Su marca comercial es la generosidad abrumadora.

Si se ora por el pan cotidiano y se recibe una respuesta abrumadora, la presencia de Dios se revela. Si se ora por la torta y se recibe la misma, la presencia de Dios es oculta en Su generosidad.

Cuando el pueblo de Israel tenía hambre y estaba solo en el desierto, Dios hizo provisión cotidiana para ellos con el maná. La presencia de Dios y su provisión fueron tan significativas para ellos, que Moisés hizo que Arón pusiera una vasija de maná en la Arca del Testimonio (Ex. 16:32). En contraste, más tarde cuando

se encontraban frenta la Tierra Prometida (un momento de torta), la presencia de Dios se ocultó de ellos y fueron devueltos al
desierto por otros cuarenta años (Núm. 13).

La petición de pan de Jesús sugiere aun más ironía. Jesús
nació en Belén (Bethlehem). En hebreo, Beth-lehem significa:
casa del pan. Como la palabra en hebreo, *lehem,* pueda también
significar alimentos, Jesús también pudo haberse referido simplemente a que le pidamos a Dios provisión para los alimentos
de cada día.

Dios Misericordioso, danos la humildad para orar por nuestras
necesidades diarias. Camina con nosotros durante cada paso que
damos. Ayúdanos a estar satisfechos en cada circunstancia y a
reconocer Tu presencia también en la abundancia. Que sigamos
Tu ejemplo y seamos generosos con los que nos rodean. En el
nombre del Padre, del Hijo, y del Espíritu Santo. Amén.

Preguntas

1. ¿Cómo tienta Satanás a Jesús en el desierto? ¿Qué otras tentaciones con alimentos vienen a la mente? (Sugerencia: Gén. 3;
también: Gén. 25:29-34)

2. ¿Por qué fue irónico que Jesús nos guiara a orar por el pan

diario?

3. ¿Cómo permaneció Pablo contento?

4. ¿Cómo podemos reconocer la presencia de Dios? ¿Cuál es la marca registrada de Dios?

5. ¿Oras por el pan o por la torta? ¿Cuál es un ejemplo de un momento de torta en tu vida?

DÍA 27: *Perdonas; Perdonamos*

«Y perdónanos nuestras deudas (ofensas, pecados), como también nosotros hemos perdonado a nuestros deudores (los que nos ofenden, nos hacen mal)» (Mt. 6:12).

¿*P*or qué perdonar? ¿Por qué ser una persona que perdona?

La respuesta fácil es porque Jesús lo dice. Jesús hace un comentario fuerte sobre el perdón inmediatamente después del *Padre Nuestro*:

> *Porque si ustedes perdonan a los hombres sus transgresiones (faltas, delitos), también su Padre celestial les perdonará a ustedes. Pero si no perdonan a los hombres, tampoco su Padre les perdonará a ustedes sus transgresiones (faltas, delitos)* (Mt. 6:14-15).

La lógica aquí es clara: hemos de ser personas que perdonan porque Dios nos ha perdonado. La palabra para el perdón en griego significa: *dejar ir.*

El Apóstol Pedro aclaró nuestra obligación para perdonar cuando preguntó:

> *Señor, ¿cuántas veces pecará mi hermano contra mí que yo haya de perdonarlo? ¿Hasta siete veces? Jesús le contestó: No te digo hasta siete veces, sino hasta setenta vec-*

es siete (Mt. 18:21-22).

—un número arbitrariamente grande que encaja el contexto de la pregunta de Pedro.[1] Jesús pasa luego a contar la parábola del siervo que no perdonó (Mt. 18:23-35).

El punto es que el perdón ayuda a la paciencia, la sanación, y la redención.

El perdón ayuda a la paciencia. Trabajando con niños pequeños o con pacientes de alzhéimer consiste en responder preguntas repetidas o lidiar con otros comportamientos molestos. A menudo nos encontramos trabajando con nuestros padres e hijos mientras hacemos malabares con otras responsabilidades —incluyendo nuestro propio agotamiento. Si somos capaces de perdonar a personas con necesidades especiales, entonces ¿por qué es tan duro perdonar las personas normales que son sólo una molestia?[2] Una vida sin nada que lamentar empieza con el perdón.

El perdón sana. Por ejemplo, el perdón rompe lo que los psiquiatras llaman la rumia (o reflexión excesiva). Formas ex-

---

1 Traducciones alternativas, por ejemplo una versión en inglés «*New American Standard*», lee «*setenta veces siete*».
2 Bridges (1996, 46) escribió: «*Las vemos como personas para quien Cristo murió o solo como personas quienes nos hacen la vida difícil?*» [«*How doe we view those who do not show love for us? Do we see them as persons for whom Christ died or as persons who make our lives difficult?*»] Cristo perdonó aún a sus atormentadores desde la cruz (Lc. 23:34). Si el puede amar y perdonar a quienes lo asesinaron, ¡entonces podemos perdonar a personas molestosas!

tremas de rumiación ocurren cuando una paciente psíquiátrico se obsesiona cotidianamente por años sobre eventos estresantes o imaginarios del pasado.[3] Al exagerarse, la rumiación distrae al paciente en su desarrollo emocional normal y, posteriormente, causa daños a sus relaciones. Ya que todos rumiamos, el perdón nos sana ayudándonos a enfocarnos en los retos cotidianos y no en los fantasmas del pasado.[4]

El perdón trae redención. La historia de Esteban, el primer mártir cristiano, es un caso que refleja este punto. Justo antes de morir, Esteban oró: «*Señor, no les tomes en cuenta este pecado*» (Hch. 7:60). Saulo de Tarso fue testigo y aprobó la lapidación de Esteban. Conocido mejor como Pablo, Saulo más tarde se reunió con el Cristo resucitado en el camino a Damasco, fue bautizado, y se convirtió en un gran evangelista de la iglesia. Pero Pablo nunca se olvidó del asombroso acto de amor ni de Esteban y vinculó a Esteban a su propia historia de llamado (Hch. 22:20). ¿Fueron la vida y el ministerio de Pablo una repuesta a la oración

---

3 Una terapia para la rumiación redirige la atención del paciente más allá de la memoria negativa a una oración de respiración, como la oración de Jesús. La versión de la oración de Jesús que recuerdo es: Jesús, Hijo de Dios, ten misericordia de mí.

4 MacNutt (2009, 130) cita cuatro tipos de sanación por los cuales podemos orar incluyendo: arrepentimiento, dolor emocional, salud física, y liberación de opresión espiritual. Cuando perdonamos a los que nos hieren, no solo le ofrecemos sanación sino que también soltamos nuestra propia pena. Los pecados no perdonados son como plagas para ambos.

de Esteban?

El perdón es tan radical, tan raro, tan redentor que revela la presencia de Dios entre nosotros.

Dios de toda compasión. eres el Alfa y el Omega, el principio y el fin. Te alabamos por Tu ejemplo de humildad. Te damos gracias por Tu sacrificio. Ayúdanos a confesar nuestros pecados y perdonar a los que pecan contra nosotros. En el poder del Espíritu Santo, abre nuestros corazones, ilumina nuestras mentes, y fortalece nuestras manos en Tu servicio. En el nombre de Jesús oramos. Amén.

Preguntas

1. ¿Qué lección enseñó Jesús después de enseñar el Padre Nuestro? ¿Por qué es importante?

2. ¿Qué le pregunta Pedro a Jesús?

3. ¿Qué podemos aprender de los niños, las pacientes de Alzheimer, y otras personas molestosas acerca del perdón?

4. ¿Cómo puede el perdón sanar y redimir?

DÍA 28: Tentación y Maldad

«Y no nos metas (no nos dejes caer) en tentación, sino líbranos del mal (del maligno)» (Mt. 6:13).

¿Alguna vez te has preocupado por Satanás?

El rol de Satanás en tentarnos y promover el mal en el mundo se encuentra a través las escrituras.

En el Jardín del Edén, Satanás es representado como una serpiente que se revela contra Dios y tienta a otros a pecar y rebelarse contra él.[1] Más tarde, Dios aconseja a Caín a ser bueno porque de lo contrario los pecados golpearán como una serpiente agachada frente a su puerta (Gén. 4:7).

Otra imagen importante de Satanás se encuentra en Job 1 donde Satanás es representado como un fiscal despiadado ante el tribunal de Dios. Las crueles mentiras de Satanás calumnian a un Job justo. Sin embargo, Satanás no puede afligir a Job sin antes le pedir permiso a Dios (Job 1:6-12). A pesar de la crueldad de Satanás, Job permanece fiel. Al final, Dios lo absuelve de todos los cargos de Satanás y también le recompensa sus pérdidas (Job 42:10).

En los evangelios sinópticos, el Espíritu Santo llevó a

---

1 Por ejemplo, Kline (2006, 302) escribe sobre el pueblo de Dios y el pueblo de la serpiente.

Jesús al desierto donde el diablo lo tienta.[1] Al igual que a Adán y Eva se les tienta con alimentos, el diablo comenzó a incitar a un Jesús hambriento para que él convertiera unas piedras en pan. El diablo tienta a Jesús tres veces. Jesús citó las escrituras en respuesta a cada tentación. En la última tentación, el diablo cita erróneamente las escrituras, pero Jesús corrige el engaño y se resiste a la tentación.[2]

Como Job pero no como Adán, Jesús permanece fiel a la voluntad de Dios en la vida y en la muerte. La muerte de Jesús en la cruz entonces cumple la profecía de la derrota de Satanás (Gén. 15) y pagó la pena por los pecados —somos redimidos. Debido a que la maldición del pecado ha sido rota, la pena del pecado ha sido derogada (1 Cor. 15:22). Por consecuencia, la resurrección prueba que hemos sido reconciliados con Dios.

En el Padre Nuestro, Jesús nos pide que oremos para no caer en tentación y que se nos libre del mal. Como Satanás debe pedir permiso para tentarnos, Dios puede negarle la petición y nuestra liberación permanece en Su poder. El rey David escribe:

---

1 Mc. 1:12-13 da una sinopsis breve mientras que Mt. 4:1-11 y Lc. 4:1-13 es más larga. La versión de Lucas da más detalles. La segunda y la tercera preguntas presentadas por Satanás aparecen en un orden diferente en Mateo y Lucas.

2 Cada tentación que Jesús afrentó es un desafío que enfrentan todos los cristianos, en particular los líderes. Nouwen (2002, 7-8) resume estos desafíos de líderes como una tentación a ser relevante (proporcionar alimentos), a ser espectacular (mostrar su divinidad), y a ser poderoso (hacerse cargo).

«Protégeme, oh Dios, pues en Ti me refugio» (Sal. 16:1). Jesús nos ha prometido que cuando volvemos a él en nuestra debilidad, la salvación está segura (Jn. 10:29).

Padre Todopoderoso, te alabamos por crear el cielo y la tierra; por crear todo lo que es, lo que fue, y lo que será; y por crear todas las cosas visibles e invisibles. Observamos Tu creación y alabamos Tu nombre. Manténnos a salvo en Tus manos: sella nuestros corazones, fortalece nuestras mentes, y refugia nuestros cuerpos de toda maldad. En nuestra hora de debilidad, haznos retornar siempre y sólo a Tí. En el nombre del Padre, del Hijo, y del Espíritu Santo. Amén.

Preguntas

1. ¿Cuál es el rol que Satanás desempeña en las narraciones de la creación y la caída que se encuentran en Génesis? ¿Cuál es el rol que desempeña en el libro de Job y el evangelio de Lucas?

2. ¿Cuál es la imagen del pecado en Génesis 4?

3. ¿Cuál fue la primera tentación de Cristo en el desierto? ¿Cuál fue su respuesta?

4. ¿Cómo debemos responder a la tentación y a la maldad? ¿Cuál es el rol de la oración?

DÍA 29: Doxología

«Porque Tuyo es el reino y el poder y la gloria para siempre. Amén»
(Mt. 6:13).

*L*as traducciones más recientes de la Biblia excluyen la
doxología: *«Porque Tuyo es el reino y el poder y la gloria
para siempre. Amén».*[1] ¿Por qué?

Jesús le dio a los discípulos el Padre Nuestro para en-
señarles a orar, no como una oración obligatoria. Tres veces Jesús
repitió la frase: *«Cuándo ustedes oren»* (Mt. 6:5-7).[2] Después, dijo
simplemente: *«oren de esta manera»* (Mt. 6:9). Jesús ofreció un
patrón para la oración que se puede ajustar según sea necesario. La iglesia primitiva amaba esta oración y tomó en serio este
consejo. Las añadiduras más comúnes fueron la doxología y la
palabra, *«amen»,* que significa: así sea. Por ende, esta línea no
aparece en los manuscritos más antiguos a pesar de que en las
iglesias la siguen utilizando hoy en día.

Cuando los reformistas empezaron a examinar los textos griegos originales en el siglo quince, la traducción latina de
San Jerónimo había sido utilizada casi exclusivamente por mil
años. Los manuscritos del Nuevo Testamento en griego que es-

---

1 Por ejemplo, La Nueva Versión Internacional no incluye la doxología.
2 En griego, hay tres expresiones diferentes con la misma raíz.

taban disponibles inmediatamente en bibliotecas locales fueron ensamblados y traducidos en inglés, alemán, francés, y otros idiomas europeos. Más tarde, sin embargo, cuando los eruditos empezaron a estudiar los miles de manuscritos griegos disponible a lo largo de todas iglesias y bibliotecas del mundo, llegaron a entender que no todos los manuscritos eran igualmente antiguos. Las traducciones recientes de la Biblia se enfocan en los manuscritos más antiguos.[3]

Los manuscritos más antiguos excluyen la doxología y el amén. Por esta razón las traducciones de la Biblia hechas antes de este descubrimiento incluyen la doxología y el amén, mientras que las traducciones más recientes no lo hacen. Hugenberger (1999, 55) observa que la doxología abrevia una doxología más larga que se encuentra en 1 Crónicas 29:11-13.

La palabra, «*doxología*», se toma de la palabra griega, «*doxa*», que significa: «*la condición de ser brillante o resplandeciente, brillo, esplendor, luminosidad*».[4] Amén es una palabra hebrea que se le atribuye a Jesús mismo y que significa: realmente. Cuando Jesús dice: «*En verdad, en verdad os digo que...*» (Jn. 1:51 LBA), el texto griego lee —amén, amén— que el griego translit-

---

3 Metzger y Ehrman (2005) revisan la historia textual del Nuevo Testamento en gran detalle.
4 (BDAG 2077, 1). Por ejemplo: «*Y un ángel del Señor se les presentó, y la gloria (δόξα) del Señor los rodeó de resplandor, y tuvieron gran temor*» (Lc. 2:9).

era del hebreo.

La oración personal es un distintivo cristiano. Jesús nos enseñó a orar, pero no exactamente qué orar. Él desea que vengamos a él como una comunidad de fe, pero también desea que nos acerquemos a él como individuos. La oración personal es un distintivo cristiano.

Padre Celestial, Hijo Amado, Espíritu Santo, gracias por enseñarnos a orar. Sé con nosotros mientras tomamos nuevos pasos en nuestro camino de fe. Abre nuestras mentes como has abierto nuestros corazones. En el nombre de Jesús oramos. Amén.

Preguntas

1. ¿Cuál es la diferencia entre un patrón (un modelo) de oración y una oración obligatoria?

2. ¿Cómo han sido afectadas las traducciones de la Biblia por el descubrimiento de manuscritos más antiguos?

3. ¿Cómo validamos nuestra fe?

LOS DIEZ MANDAMIENTOS

¡CUÁN BIENAVENTURADO ES EL HOMBRE QUE NO ANDA EN EL CONSEJO DE LOS IMPÍOS, NI SE DETIENE EN EL CAMINO DE LOS PECADORES, NI SE SIENTA EN LA SILLA DE LOS ESCARNECEDORES, SINO QUE EN LA LEY DEL SEÑOR ESTÁ SU DELEITE, Y EN SU LEY MEDITA DE DÍA Y DE NOCHE! *(Sal. 1:1-2)*

1 NO TENDRÁS OTROS DIOSES DELANTE DE MÍ.

2 NO TE HARÁS NINGÚN IDOLO (IMAGEN TALLADA)...

3 NO TOMARÁS EL NOMBRE DEL SEÑOR TU DIOS EN VANO...

4 ACUÉRDATE DEL DÍA DE REPOSO PARA SANTIFICARLO...

5 HONRA A TU PADRE Y A TU MADRE...

6 NO MATARÁS (NO ASESINARÁS).

7 NO COMETERÁS ADULTERIO.

8 NO HURTARÁS.

9 NO DARÁS FALSO TESTIMONIO CONTRA TU PRÓJIMO.

10 NO CODICIARÁS... (EXOD. 20:3-17)

Los *Diez Mandamientos* nos ayudan a responder la pregunta: ¿QUÉ DEBEMOS HACER? La respuesta es sencilla: debemos obedecer las leyes de Dios.

Los *Diez Mandamientos* también nos ayudan a responder las otras tres preguntas filosóficas fundamentales:

- ¿QUIÉN ES DIOS? Dios es el creador soberano de pactos, quien expresa Su amor por nosotros a través de una orientación concreta.

- ¿QUIÉNES SOMOS? Somos guardadores del pacto que aceptamos la relación del pacto con Dios y vivimos de acuerdo a sus leyes.

- ¿CÓMO SABEMOS? Los *Diez Mandamientos* son registrados y explicados en las escrituras.

Debido a que la ley se discute a menudo en oposición a la gracia, el rol de los *Diez Mandamientos* para responder a la pregunta de qué hacer es algo confuso. Jesús dijo que el amor al prójimo y a Dios resume la Ley y los Profetas (Mt. 22:36-40).[1] Entonces, ¿por qué necesito la ley? ¿No estoy libre de la ley bajo la gracia?

El Apóstol Pablo da la respuesta más directa a esta pregunta. Nuestra libertad en Cristo es la libertad de amar a nuestro

---

1 El Apóstol Pablo reforzó este punto en Rom. 13:9.

prójimo como a nosotros mismos (Gal. 5:13-14). Si tomamos la declaración de Pablo en serio, ¿crees que tu prójimo se daría cuenta? Si el tiempo y el dinero se involucran, ¿crees que tu cónyuge y tus niños se darían cuenta?

Los *Diez Mandamientos* nos recuerdan cómo es el amor desde la perspectiva de Dios, no de nosotros. Dios creó una comunidad de individuos —no sólo tú; no sólo yo— a Su imagen. Si Dios creó y ama a mi prójimo, tal vez yo también puedo aprender a amarles. El amor de Dios significa honrar a nuestros padres; el amor significa no asesinar...

Necesitamos recordatorios; necesitamos límites claros. Con los *Diez Mandamientos,* Dios generosamente proporciona ambos.

DÍA 30: *Los Diez Mandamientos*

«Entonces Dios habló todas estas palabras diciendo: Yo soy el Señor tu Dios, que te saqué de la tierra de Egipto, de la casa de servidumbre (de la esclavitud)» (Ex. 20:1-2).

Como cristianos, ¿por qué tenemos que saber acerca de los *Diez Mandamientos?* La respuesta breve es porque Jesús lo dice.[1] El reformador, Juan Calvino reforzó este punto y dijo que la ley tiene tres propósitos principales: enseñarnos acerca de la voluntad de Dios, ayudar a las autoridades civiles, y guiar nuestras vidas cotidianas (Haas 2006, 100).

Aún así, como personas posmodernas, tenemos desprecio por la ley. Vivimos vidas indisciplinadas, ignoramos las límites de velocidad, y engañamos por nuestros impuestos. Deseamos ser independientes y estar en control de nuestras propias vidas. No queremos que nadie, ni siquiera Dios, nos diga qué hacer. Los *Diez Mandamientos* nos recuerdan que seguimos siendo rebeldes hijos e hijas de Adán y Eva.

Nuestra rebelión contra Dios se llama pecado. El pecado toma por lo menos tres formas: no cumplir expectativas (pecados), romper una ley (transgresión), y no hacer lo que debemos

---

1 *«Porque en verdad les digo que hasta que pasen el cielo y la tierra, no se perderá ni la letra más pequeña ni una tilde de la Ley hasta que toda se cumpla»* (Mt. 5:18).

hacer (iniquidad). Yo peco cuando trato de amar a Dios con todo mi corazón, alma, y mente, pero no logro hacerlo consistentemente. Yo quebranto la ley cuando mato a alguien. Yo cometo iniquidad cuando ignoro (deshonro) a mis padres en su vejez, dejando su cuidado a mis hermanos cuando soy capaz de ayudar, pero me niego a hacerlo. A pesar que las tres palabras se utilizan intercambiablemente, estas distinciones permanecen útiles.

En nuestra rebelión, la ley se presenta como un acto de gracia que nos muestra el camino de regreso a Dios. Los *Diez Mandamientos* se pueden considerar como los límites saludables de Dios para la comunidad cristiana y como un modelo para el mundo.

Entonces, ¿qué es útil saber acerca de los *Diez Mandamientos*?

La Biblia nos dice que Dios es el Señor de Señores y usa los pactos para definir su relación con nosotros. Un pacto es un tratado o acuerdo que delinea los deberes y obligaciones del gobernador y los gobernados. La Biblia describe pactos con Adán, Noé, Abraham, Moisés, y David, y el nuevo pacto con Cristo. Los *Diez Mandamientos* son parte del pacto con Moisés.

Jeremías profetizó la venida de un nuevo pacto que estaría escrito en nuestros corazones (Jer. 31:30-31). El evangelio de Mateo describe este nuevo pacto con cinco mandamientos explícitos dados por Jesús.[1] Dos de ellos ya habían sido mencionados: obedecer la ley (Mt. 5:17-20) y el mandamiento doble de amor (ama a Dios; ama a tu projimo en Mt. 22:36-40).

¿Por qué los cristianos necesitan entender los *Diez Mandamientos*? Los *Diez Mandamientos* nos ayudan a entender lo que significa ser el pueblo de Dios y seguir el mandamiento de Cristo de obedecer la ley.

Padre Todopoderoso, Hijo Amado, Espíritu Santo, bendícenos para que podamos llevar Tus leyes en nuestros corazones y seguirlas en nuestro diario vivir. Que el pecado y la maldad no nos atraigan. Que nuestros amigos practiquen rectitud y que sigamos Tu ejemplo. Guíanos con cánticos de rectitud y oraciones santas (Sal. 1:1-2). Que podamos honrar Tus límites santos y quita el pecado de nuestras vidas. Para Tí y sólo a Tí sea la gloria. Amén.

Preguntas

1. ¿Qué es un pacto?

2. ¿Con quién ha hecho Dios pactos?

3. ¿Porqué debemos prestar atención a la ley de Moisés?

---

1 Mt. 5:17-20, 17:9, 19:16-21, 22:36-40, y 28:18-20.

4. ¿Cuáles son dos mandamientos bajo el nuevo pacto?

5. ¿Por qué fue la promulgación de la ley un acto de gracia?

DÍA 31: No Tendrás Otros Dioses (El Primer Mandamiento)

«No tendrás otros dioses delante de Mi» (Ex. 20:3; Dt. 5:7).

*¿P*or qué Dios requiere el derecho exclusivo de nuestra lealtad y prohibe la adoración de otros dioses?

La soberanía de Dios sobre nuestras vidas surge de su rol como creador. ¿Hicimos algo para merecer nuestra creación? No. Nuestro primer acto independiente después que Dios nos creó fue de hecho el pecar y rebelarnos contra la única ley de Dios —no comer la fruta del árbol (Gén. 2:17). ¿Hicimos algo para merecer la restauración y salvación de Dios? No —Dios mismo pagó la pena de nuestros pecados al enviar a su hijo a morir en la cruz en nuestro lugar.

Dios permite sólo un camino a la salvación —a través de Jesucristo. No podemos acercarnos a Dios por nuestra cuenta. Hay dos razones que sugieren el porqué.

La primera razón surge de la naturaleza de un Dios eterno —Dios está afuera del tiempo. Su naturaleza infinita implica que él se nos puede acercar, pero no nosotros a él. Piense en el problema de establecer una reunión con un Dios eterno —tal vez su fecha conviene el año 30 AC o tal vez el año 3000 AC. ¿Cómo exactamente vamos a comparecer o incluso organizar la fecha? El Apóstol Pablo escribe: «*Porque mientras aún éramos débiles, a su tiempo Cristo murió por los impíos*» (Rom. 5:6).

La segunda razón surge debido a la naturaleza santa de Dios. Santo implica ser sagrado o separado. Dios es santo, nosotros no lo somos. La santidad de Dios nos impide acercarnos a él por nuestra cuenta.

Porque no podemos acercarnos a Dios por nuestra cuenta, ni físicamente ni moralmente, es lógico que un camino oculto a Dios aparte de Cristo no existe. De hecho, la idea de que exista un camino oculto a Dios ignora ambos problemas antes mencionados y se enfoca en tres conceptos erróneos de la santidad de Dios.

El primer concepto erróneo sostiene que somos básicamente buenos y podemos acercarnos sin la intervención divina. Si fuéramos básicamente buenos, entonces la santidad de Dios no presenta un problema. El sacrificio de Cristo por la cruz sería innecesario y guardar la ley de Moisés sería teóricamente posible. Por desgracia, la mala semilla (pecado original) de Adán y Eva ya corría en la familia.

El segundo concepto erróneo sostiene que Dios mismo no es bueno, que es obviamente falso. Como el soberano fundamental, Dios es también el legislador final y define lo que es bueno y malo. No es un accidente que Dios declara siete veces en la historia de la creación que era buena.[1] Dios declara que la creación es buena porque él la creó y la sostiene. Debido a que nuestras vidas dependen de la creación de Dios y su provisión, ¡Dios tiene que ser bueno!

El tercer concepto erróneo presume ignorancia de la santidad de Dios. Como el Apóstol Pablo dijo a los atenienses:

> *Por tanto, habiendo pasado por alto los tiempos de ignorancia, Dios declara ahora a todos los hombres, en todas partes, que se arrepientan. Porque El ha establecido un día en el cual juzgará al mundo en justicia, por medio de un Hombre a quien El ha designado, habiendo presentado pruebas a todos los hombres cuando Lo resucitó de entre los muertos (Hch. 17:30-31).*

Debido a los sistemas modernos de comunicación, el mensaje del evangelio está cerca de alcanzar la raza humana entera, incluso grupos desconocidos para la generación de Pablo. El argumento de ignorancia es, por consecuencia, menos creíble ahora que en la época de Pablo.

Dios merece nuestra adoración. El primer mandamiento

---

1 Gén. 1:4, 10, 12, 18, 21, 25 y 31.

en la ley lo requiere.

Padre Celestial, *«¡Oh Señor, Señor nuestro, Cuán glorioso es Tu nombre en toda la tierra, Que has desplegado Tu gloria sobre los cielos! Por boca de los infantes y de los niños de pecho has establecido Tu fortaleza, Por causa de Tus adversarios, Para hacer cesar al enemigo y al vengativo»* (Sal. 8:1-2). Que alabemos Tu nombre por siempre. En el nombre del Padre, del Hijo, y del Espíritu Santo. Amén.

Preguntas

1. ¿Cuál es el primer mandamiento?

2. ¿Qué hace a Dios soberano?

3. ¿Cuáles son dos razones por la cual no existe un camino desconocido a Dios?

4. ¿Cuáles son tres conceptos erróneos acerca de la santidad de Dios que nos impiden ver la necesidad exclusiva de Cristo?

DÍA 32: No Haga Imágenes (El Segundo Mandamiento)

«No te harás ningún ídolo (imagen tallada), ni semejanza alguna de lo que está arriba en el cielo, ni abajo en la tierra, ni en las aguas debajo de la tierra. No los adorarás (No te inclinarás ante ellos) ni los servirás (ni los honrarás). Porque Yo, el Señor tu Dios, soy Dios celoso, que castigo la iniquidad de los padres sobre los hijos hasta la tercera y cuarta generación de los que Me aborrecen, y muestro misericordia a millares, a los que Me aman y guardan Mis mandamientos» (Ex. 20:4-6; Dt. 5:8-10).

¿*A*lguna vez esperó hasta la segunda vez que su madre lo llamó (como si su intención no fuese clara) antes de responder? ¿Por qué? La repetición implica énfasis. En el poema hebreo vemos una clase de repetición especial donde la primera y la segunda frase dicen la misma cosa pero en palabras diferente. Un ejemplo de un doblete hebreo se encuentra en el Salmo 115, donde leemos:

> *Nuestro Dios está en los cielos; El hace lo que Le place. Los ídolos de ellos son plata y oro, Obra de manos de hombre. Tienen boca, y no hablan; Tienen ojos, y no ven* (Sal. 115:3-5).

La comparación es entre Dios, quien está vivo (vive en el cielo; hace lo que le place), y los ídolos que no tienen vida, que no están con vida (hechos de metal por manos humanas; tienen bocas mudas y oyos inútiles).

El problema de la idolatría es profundo en la psique humana. Un ídolo es cualquier cosa que consideramos más importante que Dios. Y tenemos muchos de estos —miembros de la familia, compañeros, trabajo, escuela, lideres políticos, estrellas populares, héroes deportivos, filosofías, cuentas bancarias, pólizas de seguros, planes de salud— la lista es enorme.

Louie Giglio (2003, 113), un músico cristiano, dice que si deseas una lista de los ídolos en tu vida, pregunta en qué gastas tu dinero, tu tiempo, tus energías, y tu lealtad. Echa un vistazo a tus prioridades y encontrarás los ídolos que amenazan tu fe, tu salud mental, y, tal vez, tu vida.

El segundo mandamiento no es sobre la vanidad de Dios. Cuando ponemos nuestra fe en ídolos, nos estamos preparando para una dura caída. Todos los ídolos eventualmente se rompen y cuando lo hacen, nos rompemos con ellos. El resultado de nuestro quebrantamiento a menudo resulta en depresión, adicción, o suicidio; colectivamente, da lugar a la opresión, la injusticia, y la guerra.

La obsesión en nuestra sociedad con el trabajo y con «tenerlo todo», por ejemplo, nos conduce a abusar de nuestra propia salud y a despreciar a quien no trabaja. En lugar de valorar el tiempo con nuestra familia, nos negamos a usar nuestro tiempo de vacaciones y regresamos a trabajar aún antes de tener que hacerlo. En vez de relajarnos o ejercitarnos cuando salimos del trabajo, nos traemos el trabajo para la casa y tomamos decisiones alimenticias pobres. En lugar de ver a nuestros jóvenes y ancianos como creados a la imagen de Dios, los vemos como dependientes que no trabajan. Entonces no es de extrañarse que ellos se desarrollen con problemas de autoestima y depresión, o aun cosas peores.

Substitutos para la función del Dios vivo en nuestras vidas son imitaciones baratas.

Padre Todopoderoso, el gran «*yo soy*» (Ex. 3:14). Nos has creado a Tu imagen; nos has imbuido con Tu belleza. Refugias nuestros corazones y mentes de ídolos que desean cogernos en una trampa y robarnos de la dignidad y la protección de Tu imagen divina. Ayúdanos a mantener Tu imagen sagrada y santa. Fortalece nuestra fe en el poder del Espíritu Santo. En el nombre de Jesús oramos. Amén.

Preguntas

1. ¿Qué es un ídolo?

2. ¿Qué sucede cuando nuestros ídolos demuestran ser falsos?

3. ¿Qué rol toma la repetición durante la interpretación de las escrituras?

DÍA 33: *Honra El Nombre (El Tercero Mandamiento)*

«No tomarás el nombre del Señor tu Dios en vano, porque el Señor no tendrá por inocente al que tome Su nombre en vano» (Ex. 20:7).

Hace muchos años, cuando estudiaba en Alemania, tuve un compañero de Bélgica quien se conocía sólo por su apellido. Cuando indagué un poco más, ni siquiera la secretaria del departamento no sabía su nombre de pila. Su nombre fue reservado para la familia y nadie más.

Dios es también sensitivo con su nombre y cómo se utiliza (Ez. 36:20-23).

En el hebreo del Antiguo Testamento, hay muchos nombres para Dios. El nombre de pacto, YHWH, el cuál Dios le dio a Moisés desde la zarza ardiente, es sagrado para los judíos. Cuando los judíos se encuentran con las siglas YHWH en las escrituras, normalmente las sustituyen con la palabra Adonaí que significa Señor. La mayoría de los traductores honran esta tradición. Por lo contrario, el nombre genérico de Dios en hebreo es Elohim que es, por ejemplo, la palabra para Dios usada en Génesis 1:1.

El uso del nombre de Dios es una extensión de la santidad de Dios. Santo significa ser apartado al igual que la idea de ser sagrado. El tabernáculo, y más tarde el templo en Jerusalén, fue construido para observar tres niveles de aumento en la santidad: el Patio para judíos, el Lugar Santo para los sacerdotes, y el Santo de los Santos para el sumo sacerdote —pero sólo en el Día de Expiación (Ex. 30:10). El Arca de la Alianza residía en el Santo de los Santos.

Aunque el sistema judío de sacrificio terminó con la destrucción del templo en el año 70, el nombre de Dios todavía es santo. El Apóstol Pablo, por ejemplo, escribió:

Y hallándose en forma de hombre, se humilló El mismo, haciéndose obediente hasta la muerte, y muerte de cruz.

Por lo cual Dios también Lo exaltó hasta lo sumo, y Le confirió el nombre que es sobre todo nombre, para que al nombre de Jesús se doble toda rodilla de los que están en el cielo, y en la tierra, y debajo de la tierra, y toda lengua confiese que Jesucristo es Señor, para gloria de Dios Padre (Flp. 2:8-11).

Por lo tanto, el mandamiento de no profanar el nombre de Dios es uno que se debe tomar en serio. El autor de Proverbios escribe:

El temor del (La reverencia al) Señor es el principio de la sabiduría; Los necios desprecian la sabiduría y la instrucción (Prov. 1:7).

Honramos a Dios, absteniéndonos de lenguaje vulgar y negándonos a hacer promesas vacías apalancadas en el nombre de Dios.

Pero honrar el nombre de Dios es más que meramente no usar lenguaje profano. Nuestra conducta debe traer honor a Dios —nuestras acciones deben ser consistentes con la fe que profesamos (Sant. 2:17).

Una de las mayores recompensas en el cielo es simplemente llevar el NOMBRE (Ap. 22:4). ¿Por qué no empezamos ahora?

Dios Todopoderoso, que nuestras palabras y nuestras acciones reflejen Tu gloria y traigan honra a Tu nombre, este día y todos los días. En el poder de Tu Espíritu Santo, limpia nuestros pensamientos, santifica nuestros corazones, y redime nuestras acciones para que podamos ser una bendición para los que nos rodean. En el nombre de Jesús oramos. Amén.

Preguntas

1. ¿Qué nombres para Dios son usados en la Bíblia?

2. ¿Qué significa Santo? ¿Cómo es reflejada la santidad de Dios en la organización del templo en Jerusalén?

3. ¿De qué manera continúa el Nuevo Testamento honrando el

nombre de Dios?

4. ¿Cómo seremos honrados en el cielo?

DÍA 34: *Acuérdate del Día de Reposo (El Cuarto Mandamiento)*

«Guardarás el día de reposo para santificarlo, como el Señor tu Dios lo ha mandado. Seis días trabajarás y harás todo tu trabajo, más el séptimo día es día de reposo para el Señor tu Dios; no harás en él ningún trabajo, tú, ni tu hijo, ni tu hija, ni tu siervo, ni tu sierva, ni tu buey, ni tu asno, ni ninguno de tus animales, ni el extranjero que está contigo, para que tu siervo y tu sierva también descansen como tú. Acuérdate que fuiste esclavo en la tierra de Egipto, y que el Señor tu Dios te sacó de allí con mano fuerte y brazo extendido; por tanto, el Señor tu Dios te ha ordenado que guardes el día de reposo» (Dt. 5:12-15).

*E*l origen divino del día de reposo está bien atestiguado —tanto en el Antiguo como el Nuevo Testamento. En el Antiguo Testamento, es el único mandamiento que aparece en el relato de la creación y es también el mandamiento más largo —una indicación de énfasis. En el Nuevo Testamento, Jesús se refiere a si mismo como el Señor del Día de Reposo (Mt. 12:8; Lc. 6:5) y lleva a cabo varios milagros específicamente en el día de reposo. ¿Por qué toda esta atención al día de reposo?

Una clave para entender el día de reposo se encuentra en Hebreo 4, que enumera cuatro aspectos del día de reposo: descanso físico, reposo en el séptimo día, reposo en la Tierra Prometida, y reposo celestial —nuestro retorno al Jardín del Edén.

El descanso físico es subestimado por muchos cristianos.

Jesús dice: «*Vengan a Mí, todos los que están cansados y cargados, y Yo los haré descansar*» (Mt. 11:28). ¿Cómo podemos amar a Dios y a nuestro prójimo cuando estamos agotados físicamente todo el tiempo? El día de reposo permite restaurar la capacidad física, emocional, y espiritual para experimentar a Dios y tener compasión por nuestro prójimo.

Vemos una pista a esta interpretación del día de reposo cuando comparamos la representación del cuarto mandamiento que encontramos en Éxodo con la de Deuteronomio. Deuteronomio da la frase:

> *Acuérdate que fuiste esclavo en la tierra de Egipto, y que el Señor tu Dios te sacó de allí con mano fuerte y brazo extendido; por tanto, el Señor tu Dios te ha ordenado que guardes el día de reposo* (Dt. 5:15).

La gente libre descansa; los esclavos trabajan. ¿Somos los americanos, verdaderamente libres? El día de reposo es un símbolo de nuestra libertad cristiana.

La Tierra Prometida, reposo prometido (Sal. 95:11), el cielo, y el nuevo Edén (Ap. 22:1) muestran y refuerzan la imagen del día de reposo. La imagen de nuestro Pastor Divino es una que da reposo celestial: «*En lugares de verdes pastos me hace descansar; Junto a aguas de reposo me conduce*» (Sal. 23:2). Lamentablemente, esta imagen poética de reposo sólo parece surgir durante los funerales. ¿Por qué no empezar ahora?

Padre Compasivo, Amante de nuestras almas, Espíritu Santo, atráenos a ti mismo; abre nuestros corazones; ilumina nuestros pensamientos; fortalece nuestras manos en Tu servicio. Concédesnos descanso contigo hoy y todos los días. En el nombre de Jesús oramos. Amén.

Preguntas

1. ¿Cómo fue el día de reposo una práctica ordenada por Dios en las escrituras?

2. ¿Cuáles son los cuatros aspectos de descanso descritos en Hebreos 4?

3. ¿Porqué es el día de reposo una llave a nuestra espiritualidad?

4. ¿Cómo están conectados el reposo y la libertad?

DÍA 35: *Honra a Tus Padres (El Quinto Mandamiento)*

«Honra a tu padre y a tu madre, como el Señor tu Dios te ha mandado, para que tus días sean prolongados y te vaya bien en la tierra que el Señor tu Dios te da» (Dt. 5:16).[1]

¿*A* quién honras? ¿A quién honras más?

Como americanos posmodernos, nos encanta el lenguaje de la autonomía individual y la libertad. Nuestras leyes limitan los derechos de casi todas las figuras de autoridad —padres, maestras, jefes, policías, políticos, y aún pastores.

Honrar a sus padres y el uso general del lenguaje *«padre e hijo»* de la Biblia eran una terminología común en el Antiguo Cercano Oriente. Por ejemplo, ser creado a imagen de Dios implica una relación de padre e hijo (o de padre e hija), que también apareció cuando Adán engendró a Set a su imagen.[2] Aparece también en el Padre Nuestro, por ejemplo, en la frase: *«Así en la tierra como en el cielo»* (Mt. 6:10). La idea en el pacto con Moisés, sin embargo, es que Dios es nuestro Señor (o sobera-

---

1 También Ex. 20:12; Mt. 15:4; Mc. 7:10.
2 (Por ejemplo Gén. 1:27 y 5:3). Meredeth Kline (2006, 62) escribe: *«Y el conociemiento de lo que es tu Padre-Dios, es la sabiduría de lo que, en la semblanza de criatura, uno debe ser uno mismo»* (*«And knowledge of what one's Father-God is, is knowledge of what, in creaturely semblance, one must be himself»*)..

no; literalmente: rey de reyes o rey padre).[1] Y somos su vasallos (reyes subordinados).[2] Los vasallos honran a los Señores (soberanos) como los niños y niñas deben honrar a sus padres.

Todo muy bien, te dices, pero ¿por qué debemos honrar a nuestros padres?

El Apóstol Pablo describió el quinto mandamiento como el único que incluye una promesa: «*para que tus días sean prolongados y te vaya bien en la tierra que el Señor tu Dios te da*».[3] Esta promesa implica lo que no siempre sabemos que es lo mejor para nosotros mismos.

El Apóstol Pablo redefinió la jerarquía. Él escribió: niños obedezcan a sus padres; padres no alteren a sus hijos. Del mismo modo, redefiniría otras relaciones. Esposas respeten a sus esposos; esposos amen a sus esposas como a si mismos. Esclavos

---

1 Hoy casi todo los gobiernos no son gobernados por reyes así que usamos palabras menos personales. Hoy, hablamos sobre superpotencias y estados clientes. El concepto sigue siendo el mismo.

2 Lo sabemos, en parte, debido a que los Diez Mandamientos fueron escrito en dos tablas de piedra (Ex. 24:12; Dt. 5:22). En los tratados de los hititas, dos tablas eran típicamente grabadas, una para el señor (soberano) y otra para el vasallo. Muchas veces la gente especuló que los primeros cuatro mandamientos que se enfocan en nuestra relación con Dios estaban escritos en la primera tabla mientras que los últimos seis mandamientos que se enfocan en nuestra relación con nuestro prójimo fueron escritos en la segunda tabla, como describe el Catecismo de Heidelberg (PCUSA 1999, 4.093). Es más probable, sin embargo, que la primera y la segunda tabla eran idénticas. Estos pactos estaban escrito en materiales durables, como piedra, para prevenir el fraude (Kline 1963,19).

3 (Dt. 5:16; Ef. 6:2-3).

respeten a sus señores; señores traten a sus esclavos como de la familia (Ef. 6:1-9). Más tarde, Pablo requeriría que los ancianos en la iglesia manifestaran estas nuevas relaciones (1 Tim. 3:4). El principio aquí es: «*Todo lo que hagan, háganlo de corazón, como para el Señor y no para los hombres*» (Col. 3:23).

Si Cristo es Señor de nuestras vidas, entonces la jerarquía adquiere un nuevo significado. Las relaciones seculares duales se transforman en relaciones de tres vías bajo Dios: cada relación se conforma de tú, yo, y Dios. El matrimonio se transforma de un contrato (de dos vías) a un pacto (de tres vías). Las relaciones cambian de transacciones sociales a oportunidades para mostrar el amor de Cristo por los demás.

Jesús dice: «*Yo hago nuevas todas las cosas*» (Ap. 21:5). Las relaciones transformadas permiten que el reino de Dios irrumpa en un mundo caído aquí y ahora.

Padre Todopoderoso, Rey de Reyes, Señor de Señores, gracias por Tu presencia constante en nuestras vidas. Redime nuestra relaciones; guía nuestra fidelidad; fomenta nuestro liderazgo. En el poder del Espíritu Santo, bendice nuestras familias, nuestra iglesia, y nuestros lugares de trabajo. En el precioso nombre de Jesús oramos. Amén.

Pregunta

1. ¿Por qué debemos obedecer el quinto mandamiento?

2. ¿Cómo fue que el Apóstol Pablo redefinió la naturaleza de autoridad en las relaciones?

3. ¿Qué es una relación de tres-vías? ¿Cómo se diferencia de una relación de dos-vías?

DÍA 36: *No Matar (El Sexto Mandamiento)*

«No matarás (No asesinarás)» (Ex. 20:13).

$\mathcal{E}$ l sexto mandamiento —no matarás— parece simple. Por si acaso no se dio cuenta, la Biblia lo repite cinco veces usando las mismas palabras.[1] El castigo por asesinato —la muerte— se da en el relato de Noé (Gén. 9:11).

Cuando Jesús habla sobre el asesinato, lo compara con estar enojado e insultar a tu hermano o hermana. Entonces, hace un comentario curioso:

> *[si] tu hermano tiene algo contra ti, deja tu ofrenda allí delante del altar, y ve, reconcíliate primero con tu hermano, y entonces ven y presenta tu ofrenda*
>
> (Mt. 5:23-24).

Este comentario es curioso por dos razones. Primero, cuando lo dijo solo a los sacerdotes se permitía entrar al Lugar Santo en el templo y a acercase al altar. Segundo, este comentario parece hacer la reconciliación con nuestro hermano o hermana más importante que la reconciliación con Dios.

Entonces, ¿de qué se trata todo eso? Jesús no le está recordando a sus oyentes del templo, sino de la primera historia

---

1 También: Dt. 5:17; Mt. 5:21; Mt. 19:18; Rom. 13:9.

sobre un asesinato en la Biblia —la historia de Caín y Abel. Él lo usa como una lección objetiva. Caín se enojó con su hermano, Abel, después de que este llevara un mejor sacrificio a Dios. Por esta razón, Caín mató a Abel (Gén. 4:1-8). La lección es que debemos reconciliarnos entre si antes que la ira se salga de control y hagamos algo que podamos lamentar más tarde.

Jesús hace dos puntos importantes.

Primero, Jesús nos enseña a prevenir el asesinato mediante la eliminación del incentivo a matar. Esta lección puede aplicarse en muchos tipos de situaciones, no sólo el asesinato.

Segundo, pidiéndole a Dios (traeyendo un regalo) no elimina la consecuencia del pecado que hemos cometido el uno contra el otro. Si matamos a alguien, pidiendo el perdón de Dios no va a restaurar la vida perdida o sanar la devastación emocional experimentada por la familia de la víctima. El pedir perdón no puede ser sólo palabras.

El punto es que tanto pedir el perdón de Dios, como el repetir una oración de confesión el domingo por la mañana, no requiere un cambio de actitud hacia nuestro pecado (el primer punto de Jesús) ni la compensación a los perjudicados por lo que hemos hecho (el segundo punto de Jesús). El arrepentimiento verdadero (un cambio real del corazón) responde al primer punto, y el hacer restitución (compensación a nuestras víctimas) responde al segundo punto.

¿Significa esta lección de Jesús que nunca debemos estar enojados? No. La ira tiene un objetivo. Algunos objetivos de nuestra ira son egoístas y malévolos; algunos no lo son.

Claro que Jesús se enojó debido a la injusticia, debido a aquellos que hacían negocios en el templo (Jn. 2:14-17), y por los fariseos de corazones duros que se negaban a permitir el hacer de buenas obras, como la curación, en el día de reposo. En contraste, los fariseos estaban tan enojados con Jesús por sanar durante un sábado (porque los hacía verse mal) que respondieron con la planificación de su muerte (Mt. 12:10-14).

Padre Compasivo, Hijo Amado, Omnipresente Espíritu, gracias por darnos límites saludables en Tu ley. Limpia nuestros corazones de los celos, la envidia, y otras pasiones malvadas que nos llevan a pecar. En el nombre de Jesús oramos. Amén.

Preguntas

1. ¿Cuántas veces se repite el sexto mandamiento en la Biblia?

2. ¿Cuál es la historia que usa Jesús para enseñar acerca del asesinato?

3. ¿Cuáles son las dos lecciones que Jesús enseña?

4. ¿Qué enseñan estas lecciones acerca del perdón?

5. ¿Cuándo se prohibe la ira? ¿Cuándo no?

DÍA 37: No Cometerás Adulterio (El Séptimo Mandamiento)

«No cometerás adulterio» (Ex. 20:14)[1]

$\mathcal{E}$l centro del adulterio es casi siempre una mentira. La mentira es que nuestras vidas privadas son y deben permanecer privadas. Sin embargo, la verdad es que nuestras acciones siempre afectan a los que nos rodean.

Pregúntatele al Rey David. Él pensaba que podría tener una relación tranquila con Betsabé. Cuando ella se embarazó, primero trató de callar el asunto llamando a su esposo, Urías el hitita, a regresar del servicio en el ejército al palacio. La idea era que si Urías dormía con su esposa, el pecado de David permanecería en secreto. Urías estropeó este plan permaneciendo leal a David y rehusando volver a casa. Incapaz de ocultar su pecado, David envió a decirle al comandante de Urías que lo colocara en el frente de batalla y luego que lo abandonara a los amorreos. Urías murió en batalla (2 Sam. 11). Muy pronto todo el mundo se enteró del pecado de David y él trató de encubrirlo. El Salmo 30 registra la angustia de David por su pecado. El Salmo 51 registra la confesión de David a Dios. Dios perdonó a David pero el

1 También: Dt. 5:18; Mt. 5:27; Mt. 19:18; Rom. 13:9.

pecado de David resultó en la muerte de su hijo (2 Sam. 12:13-14).

El adulterio, el divorcio, y otras formas de inmoralidad son la consecuencia de ceder a los deseos y tentaciones prohibidas que amenazan con destruir relaciones saludables[1] y nuestras familias. También se destacan por estar en contra de la intención de Dios para el matrimonio, que es un matrimonio para toda la vida entre un hombre y una mujer.

El matrimonio no es sólo una idea romántica. Si vemos nuestras relaciones solamente para satisfacer nuestras propias necesidades, nuestros niños salen perdiendo. Según al Censo del los Estados Unidos (U.S. Census 2011, 68), la proporción de niños nacidos de madres solteras aumentó de 27 por ciento en el 1990 a 40 por ciento en el 2007. Esta estadística implica que los prospectos para los niños en América se han desplomado en nuestra generación. Podemos imaginar que habrá más pobreza, más consumo de drogas, y más suicidio. El matrimonio no es

---

1 Mi primera experiencia en el ministerio como un joven adulto surgió cuando mi pastor y mentor me animó a iniciar un programa para los jóvenes durante un verano. El programa fue un éxito y continué este ministerio hasta que me casé unos años más tarde. Sin embargo, mi mentor fue descubierto por un miembro de la congregación teniendo una relación homosexual. El asunto le costó su pastorado y su matrimonio; me costó un mentor importante; y le costó a la iglesia un pastor talentoso.

sólo una idea romántica.

Jesús deploró el divorcio, lo permitió sólo en el caso de inmoralidad sexual, y lo comparó al adulterio.[2] El pacto matrimonial (Mal. 2:14) tiene para nosotros dos partes: tanto una señal de pacto (la intimidad física) y un juramento de pacto (la promesa del matrimonio).[3] La inmoralidad sexual rompe la primera parte, pero no necesariamente la segunda.

La enseñanza de Jesús sobre el adulterio es paralela a su enseñanza sobre el asesinato. La lujuria lleva a la inmoralidad y Jesús nos advierte que evitemos la lujuria y, de esta manera, prevenir el adulterio. Entonces Jesús interrumpe esta discusión sobre el adulterio para lanzarse a una hipérbole: «*Si tu ojo derecho te hace pecar, arráncalo y tíralo... Y si tu mano derecha te hace pecar, córtala y tírala*» (Mt. 5:29-30). Después de este aparte, vuelve a su discusión sobre el adulterio. La implicación es que la parte del cuerpo en perspectiva no es un ojo o una mano, ¡pero algo un poco más personal! Jesús claramente deplora el divorcio y la inmoralidad.

---

2 Mt. 5:32; 19:9.
3 Por Adán, vemos la costilla de Adán siendo sacada para crear Eva (una especie de ceremonia de corte) y un juramento —«*Esta es ahora hueso de mis huesos*» (Hugenberger 1994, 342-43; Gén. 2:21-23).

Dios Todopoderoso, te alabamos por amar nuestras familias y por cuidar a nuestros niños. Guarda nuestros corazones y mentes. Disciplínanos a ser fieles a nuestros cónyuges. En el poder del Espíritu Santo, mantennos conscientes de Tu voluntad para nuestras vidas. En el precioso nombre de Jesús oramos. Amén.

Preguntas

1. ¿Por qué es asociado el adulterio con la mentira? ¿Cuál es la mentira más grande?

2. ¿Cuál fue la historia de David y Betsabé? ¿Qué pasó a consecuencia del pecado de David?

3. ¿Por qué es malo el adulterio desde la perspectiva de Dios? ¿Cómo es malo desde nuestra perspectiva?

4. ¿Qué dijo Jesús acerca del divorció?

5. ¿Cómo son similares el adulterio y el asesinato?

6. ¿Cuál es el verdadero objetivo de la hipérbole de Jesús?

DÍA 38: No Hurtarás (El Octavo Mandemiento)

«No hurtarás» (Ex. 20:15).[1]

*L*a historia del joven rico parece molestar a los estadounidenses más que otras historias bíblicas, probablemente porque somos una nación rica. Esta historia se encuentra en cada uno de los tres evangelios sinópticos. La historia comienza cuando el hombre pregunta: *«Maestro, ¿qué cosa buena haré para obtener la vida eterna?»* (Mt. 19:16) Jesús responde con la lista de los mandamientos que tienen que ver con amar a nuestro prójimo. El hombre responde diciendo:

> *Todo esto lo he guardado; ¿qué me falta todavía? Jesús le respondió: Si quieres ser perfecto, ve y vende lo que posees y da a los pobres, y tendrás tesoro en los cielos; y ven, sé Mi discípulo* (Mt. 19:20-21).

En este momento, el hombre se fue triste, no dispuesto a responder a la invitación de Jesús.[2]

¿Qué tiene esto que ver con no robar?

Evitando el mal no es lo mismo que ser bueno. Se presume que si uno tiene dinero, la tentación para robar es menos que si no se tiene. Si usted es rico y es motivado por la avari-

---

1 También: Lev. 19:11; Dt. 5:19; Mt. 19:18; Rom. 13:9.
2 Mt. 19; Mc. 10; Lc. 18.

cia, puede delegar de pequeños actos de robo a sus subordinados o convencer a los legisladores de cambiar la ley para hacer pequeños actos de robo legal. El joven rico sin duda contestó con sinceridad a la pregunta de Jesús acerca de los mandamientos.

Sin embargo, ¿qué hubiese pasado si el joven rico era un prestamista de alto riesgo y se acerca a Jesús? ¿Qué piensa que podría preguntar? ¿Es robar el venderle una hipoteca a una persona pobre que probablemente no pueda repagar su préstamo? ¿Qué tal si la probabilidad de reembolso se reduce por un por ciento? ¿O por cinco por ciento? Antes de la crisis financiera de 2007, los reglamentos se modificaron para permitir que los préstamos de alto riesgo fueran más fáciles. ¿Sería suficiente haber cumplido con tales reglamentos? ¿Qué tal si usted trabajaba para el gobierno?

La adopción de medidas positivas para ser bueno no es fácil.

El Apóstol Pablo hace esta distinción cuando enumera obras de la carne (vicios) y enumera los frutos del Espíritu (virtudes). Escribe:

> *Ahora bien, las obras de la carne son evidentes, las cuales son: inmoralidad, impureza, sensualidad, idolatría, hechicería, enemistades, pleitos, celos, enojos, ri-*

validades, disensiones, herejías, envidias, borracheras, orgías y cosas semejantes, contra las cuales les advierto, como ya se lo he dicho antes, que los que practican tales cosas no heredarán el reino de Dios. Pero el fruto del Espíritu es amor, gozo, paz, paciencia, benignidad, bondad, fidelidad, mansedumbre, dominio propio; contra tales cosas no hay ley (Gal. 5:19-23).

La lista de Pablo no incluye robo, ¡pero todos sabemos a que lista pertenece!

Es interesante que, en el Sermón del Monte, Jesús no habla específicamente sobre el robo en la manera que habla acerca del asesinato y el adulterio. En cierto sentido, él no necesitaba hacerlo. Si la avaricia lleva al engaño del prójimo, entonces es obvio que debemos evitar ser codiciosos con el fin de evitar ser tramposos. Mejor aún, ¿por qué no practicar la generosidad?

Dios misericordioso, gracias por prodigar Tu amor y generosidad sobre nosotros. Concédenos corazones generosos y las manos que ayuden para que podamos reflejar Tu imagen. Permite que nuestra seguridad esté en ti, no en nuestras posesiones. En el nombre del Padre, del Hijo, y del Espíritu Santo. Amén.

✿

Preguntas

1. ¿Cuál fue la pregunta que plantea el joven rico a Jesús y cómo le respondío? ¿Por qué nos importa?

2. ¿Conduce la avaricia al robo? ¿Por qué o por qué no?

3. Si usted tiene dinero, ¿por qué es más fácil no robar que el ser generoso?

DÍA 39: *No Decir Mentiras (El Noveno Mandamiento)*

«No darás falso testimonio contra tu prójimo» (Ex. 20:16).

Lo opuesto de una mentira es la verdad.

Adoramos al Dios de la verdad. Desde la zarza ardiente, Dios le dice a Moisés que su nombre es: «YO SOY EL QUE SOY» (Ex. 3:14). Moisés creyó en Dios; El Faraón se negó a creer. Cuando Dios presenta la verdad de Su propia existencia, nace la nación de Israel. No es sorprendente entonces que el Dios de la verdad ordene a su pueblo a no mentir.

Dar falso testimonio es más, sin embargo, que decir una cosa que no es verdad; es un engaño deliberado con un objetivo específico. La exposición en Éxodo 23:1-3 esbozó tres retos específicos: distribuir un informe falso, pervertir la justicia en un tribunal, y dar un testimonio sesgado. Distribuir un informe falso podría ser un simple chisme o podría ser cometer difamación. Es obvio que se puede pervertir la justicia de muchas maneras. El prejuicio puede ser motivado por la pobreza o varias afinidades (la familia, la raza, el idioma, la clase social, el origen nacional, el credo, o aun la localidad).

Estos prejuicios e injusticias son tan comunes que somos

sorprendidos más a menudo por la integridad que por el prejuicio. Por ejemplo, el debate reciente sobre la pena de muerte se trata menos sobre la penalidad y más sobre la incredulidad de que realmente se haga justicia. No es de extrañar que Pilato, el mismo un funcionario corrupto, le preguntara a Jesús: «*¿Qué es la verdad?*» (Jn. 18:38).

La historia de la mujer sorprendida en adulterio es probablemente el caso de sentencia capital más celebrado en las escrituras. La culpa de la mujer no estaba en duda, sino la pena. Los fariseos le preguntaron a Jesús: «*Y en la Ley, Moisés nos ordenó apedrear a esta clase de mujeres. ¿Tú, pues, qué dices?*» (Jn. 8:5).

Tenga en cuenta que bajo la ley judía a ambas partes en adulterio se enfrentan a la misma pena de muerte (Lev. 20:10). Debido a que los fariseos encubrieron la identidad del hombre, ellos rompieron el Noveno Mandamiento cuando se presentaba este caso. En otras palabras, ofrecieron el testimonio sesgado y no buscaron la justicia verdadera.

Jesús apunta al prejuicio del fariseo cuando dice: «*El que de ustedes esté sin pecado, sea el primero en tirarle una piedra*» (Jn. 8:7). La ley requiere que los testigos del crimen lancen la primera piedra (Dt. 17:7) Sin embargo, si alguien recoge una piedra, entonces esta persona es suceptible a ser enjuiciado en virtud de la ley porque no ha revelado la identidad del hombre quien participó en el adulterio. Y la pena por perjurio era la misma pena del presunto delito (Dt. 19:18-19). Los fariseos entienden su dilema y se van.

Las palabras de Jesús a la mujer son importante. El dice:

¿Ninguno te ha condenado? Ninguno, Señor, respondió
ella. Entonces Jesús le dijo: Yo tampoco te condeno. Vete;
y desde ahora no peques más (Jn. 8:10-11).

Jesús la ofrece tanto la verdad como la gracia. La verdad o la gracia por si solos no son el evangelio. La verdad sóla es demasiado dura para ser oída; la gracia sóla ignora la ley. Jesús busca nuestra transformación, no nuestra condena en virtud de la ley (Rom. 12:2).

Padre Todopoderoso, Salvador Misericordioso, Espíritu de Verdad, te alabamos por ser el camino, la verdad, y la vida (Jn. 14:6). Concédenos un espíritu de discernimiento para conocer la verdad y un espíritu misericordioso para compartirla. A ti y sólo ti sea la gloria. En el nombre de Jesús oramos. Amén.

Preguntas

1. ¿Por qué a menudo nos referimos a Dios como el Espíritu de Verdad?

2. ¿A qué tipos de testigos falsos se hacen referencia en la Biblia?

3. ¿Por cuál razón es la pena de muerte difícil de aplicar?

4. ¿Qué lecciones podemos aprender de la historia de la mujer sorprendida en adulterio?

5. ¿Por qué Jesús le pidió a aquellos que estaban sin pecado a lanzar la primera piedra?

DÍA 40: No Codiciarás (El Décimo Mandamiento)

«No codiciarás la mujer de tu prójimo, y no desearás la casa de tu prójimo, ni su campo, ni su siervo, ni su sierva, ni su buey, ni su asno, ni nada que sea de tu prójimo» (Dt. 5:21).[1]

¿Cuántos matrimonios y familias han sido destruidos a través de los años por el amor al dinero? Desacuerdos sobre el dinero se citan frecuentemente como una causa principal del divorcio.

La codicia es un cruce entre la avaricia y la envidia. La avaricia es un deseo extremo de poseer algo mientras que la envidia es un deseo extremo de que otros no posean lo que deseamos. En cualquier caso, nuestros deseos nos llevan a tratar mal a los demás.

Tanto la avaricia como la envidia están entre los siete pecados mortales popularizados por Tomás de Aquino en el siglo XII. Aquino los enumeró como el orgullo (vanagloria), la envidia, la ira, la pereza (apatía espiritual), la avaricia, la gula y la lujuria.[2] Los describe como pecados capitales porque conducen a otros pecados y son lo contrario de virtudes particulares (Aquinas 2003, 317-20). Del mismo modo que la virtud es un buen

1 También: Ex. 20:17; Dt. 7:25; Rom. 7:7; Rom. 13:9.
2 Los siete pecados mortales son frecuentemente descritos usando sus nombres en Latín. Ellos son superbia (orgullo), invidia (envidia), ira, gula, luxuria (lujuria), avarita (avaricia), y accidia (pereza) (Fairlie, 2006, iv).

rasgo de carácter, un vicio es un malo rasgo del carácter.

Jesús acuñó una palabra nueva para la codicia (mamón) cuando dijo: «*No pueden servir a Dios y a las riquezas (mamón)*».[1] En inglés, la versión *King James* de la Biblia translitera el griego, mamón, que puede también se traducie como el dios de dinero. El Apóstol Pablo prefiere referirse a la codicia como el amor al dinero. Por ejemplo, Pablo escribió:

> *Porque la raíz de todos los males es el amor al dinero, por el cual, codiciándolo algunos, se extraviaron de la fe y se torturaron con muchos dolores (1 Tim. 6:10).*

Mientras que la codicia es un vicio que causa dificultades relacionales, mamón es también idolatría. Algo se convierte en idolatría —se convierte en un dios— cuando lo amamos más que a Dios. Jesús nos advertió:

> *Nadie puede servir a dos señores; porque o aborrecerá a uno y amará al otro, o apreciará a uno y despreciará al otro. Ustedes no pueden servir a Dios y a las riquezas (Mt. 6:24).*

Aquí entramos en el terreno de obsesión y adicción como esclavos del pecado (Jn. 8:34). Podemos ser adictos a casi cualquier cosa. Gerald May (1988, 14) escribe: «*adicción es un estado de compulsión, obsesión o preocupación que esclaviza la voluntad y*

1 Lc. 16:13; Mt. 6:24.

el deseo de una persona».[2] Dos pruebas pueden ser aplicadas a la conducta potencialmente adictiva. ¿Interrumpe este comportamiento las relaciones con la persona más cercana a ti? ¿Experimenta usted síntomas de necesidad, dolor, ansiedad, o angustia al carecer de lo que se solía hacer? En este contexto, ¿piensas que la codicia pueda elevarse al nivel de adicción?

Henry Cloud (2008, 154) tiene una sugerencia interesante para lidiar con el dolor: «*Mirar la miseria y luego hacer una regla personal que evitará de que ocurra otra vez*».[3] En este caso, Dios ha visto el dolor en nuestras vidas y nos ha dado una regla: no codicien.

De manera más general, los *Diez Mandamientos* hacen tres cosas: reducen nuestro dolor, simplifican nuestras vidas, y nos ayudan a modelarnos siguiendo el ejemplo de Aquel que reclamamos seguir.

Padre Amoroso, vistes las aves que ni siegan ni recogen (Mt. 6:25-26). Envías el sol y la lluvia sobre justos e injustos sin discriminación (Mt. 5:5). Haces el día y la noche para bendecirnos con actividades y sueños (Gén. 1:5). Lanzamos nuestras obse-

---

2 «*addiction is a state of compulsion, obsession, or preoccupation that enslaves a person's will and desire*».
3 «*Look at the misery and then make a personal rule that will keep it from happening*».

siones y adicciones a Tus pies. En el poder del Espíritu Santo, sana nuestras relaciones y suaviza nuestros corazones para que podamos crecer más como Tú cada día. En el nombre de Jesús oramos. Amén.

Preguntas

1. ¿Cómo describirías la codicia?

2. ¿Cuál es la diferencia entre la avaricia y la envidia?

3. ¿Cuáles son los siete pecados capitales?

4. ¿Qué es el mamón? ¿Quién acuñó el término?

5. ¿Cuáles son dos pruebas de conducta adictiva?

6. ¿Cómo se pueden establecer límites para limitar la miseria?

7. ¿Cuáles son tres cosas que los *Diez Mandamientos* pueden hacer por nosotros?

LAS DISCIPLINAS ESPIRITUALES

¿POR QUÉ ES LA MÚSICA UNA DISCIPLINA ESPIRITUAL IMPORTANTE?

¿POR QUÉ DEDICAR TIEMPO A LA ORACIÓN HABITUAL?

¿POR QUÉ EJERCITARSE?

¿POR QUÉ ES EL TRABAJO UNA DISCIPLINA ESPIRITUAL?

¿QUÉ ES ESPIRITUAL ACERCA DEL MATRIMONIO Y LA FAMILIA?

¿POR QUÉ PARTICIPAR EN UN GRUPO PEQUEÑO?

¿POR QUÉ EL DÍA DE REPOSO?

¿QUÉ ES ADORACIÓN?

Las disciplinas espirituales nos ayudan a responder la pregunta: ¿CÓMO SABEMOS? Debido a que no podemos construir una torre física ni metafórica hacia Dios, especialmente desde Pentecostés[1], Dios mismo en su Espíritu Santo ha trabajado con nosotros para responder a esta pregunta. A veces nos referimos a esto como el proceso de santificación.[2]

Las disciplinas espirituales pueden servir por lo menos tres objetivos. Un objetivo es ayudar a eliminar los obstáculos que afectan nuestra relación con Dios —así como el pecado. Otro objetivo es responder a una ruta especial de gracia que Dios nos ha dado únicamente a nosotros. Un objetivo más es facilitar el proceso de reconciliación con aquellos contra quienes hemos pecado.

Por ejemplo, la oración contemplativa se enfoca en reducir obstáculos en nuestra relación con Dios. Foster (1992, 161-164) ve tres pasos en la oración contemplativa: recolección (concentrando nuestras mentes a estar completamente en el presente), tranquilizar nuestros espíritus, y el éxtasis espiritual —la respuesta de Dios.

En contraste, Thomas (2010, 7, 83, 211) ve nueve tipos

---

1 La historia de la Torre de Babel se encuentra en Gén. 11:1-9. La historia de Pentecostés se encuentra en Hch. 2:1-4.
2 El Apóstol Pablo escribe acerca de su propia lucha con la santificación en Flp. 3:7-11.

de personalidades espirituales que nos trae a la gracia de Dios. Estos son: naturalistas, sensualistas, tradicionalistas, ascetas, activistas, cuidadores, aficionados, contemplativos, e intelectuales. Por ejemplo, el tradicionalista experimenta a Dios a través de tres elementos principales: ritos, símbolos, y sacrificios. En contraste, para los intelectuales, el sermón no es solo una parte de la adoración —es adoración.

El proceso de reconciliación raramente es tratado como una disciplina espiritual independiente, pero debe tenerse en cuenta en muchas disciplinas e incluso parte del gobierno de la iglesia. Lo vemos articulado, en parte, en el servicio cristiano, en relaciones de trabajo, nuestros matrimonios, nuestros grupos pequeños, y nuestra adoración. Si las disciplinas espirituales se clasifican en orden de necesidad, la reconciliación se puede catalogar claramente en la parte superior de la lista.

Para los presbiterianos, la reconciliación se destaca mediante el gobierno de la iglesia, a través de decisiones de grupo. Casi todas las decisiones en la vida de la iglesia requieren la aprobación o la supervisión de un comité. Al incluir la reconciliación en el proceso de decisión, se minimiza la necesidad de practicar una disciplina espiritual adicional. Sin embargo, cuando surgen problemas especiales, la reconciliación puede ser un proceso separado del cual nos referimos como «*hacer la paz*».[1]

---

1 El Apóstol Pablo escribe: «*Si es posible, en cuanto de ustedes dependa, estén en paz con todos los hombres*» (Rom. 12:18). Sande (2004, 22) enumera seis respuestas de establecimiento de la paz (*peacemaking*) en los conflictos entre ellas: 1) pasar por alto la ofensa; 2) conciliar las partes; 3) negociar, 4) mediación, o 5) arbitrar para hacer la paz cuando hay conflicto, y 6) hacer que las personas rindan cuentas por sus acciones.

DÍA 41: ¿Por qué es la Música una Disciplina Espiritual Importante?

«Entonces Moisés y los Israelitas cantaron este cántico al Señor, y dijeron: Canto al Señor porque ha triunfado gloriosamente (es exaltado en gran manera); Al caballo y a su jinete ha arrojado al mar» (Ex. 15:1).

¿*P*or qué la historia de salvación que encontramos en las escrituras a menudo suena como un vídeo musical? Una razón es que marca las transiciones importantes en la narración de las escrituras. Por ejemplo, las canciones de alabanza acompañan tanto la salvación de los israelitas de los egipcios después de cruzar el Mar Rojo, como la entrada a la Tierra Prometida.[1] La Canción de Hannah marca el nacimiento del profeta, Samuel (1 Sam. 2:1-10). Igualmente, el Nuevo Testamento empieza y termina con canciones.[2]

La música es una disciplina espiritual especial porque ayuda a unir nuestros corazones y nuestras mentes[3], y expresa el gozo cristiano de forma única. Dios nos ha creado soberana-

1 Ex. 15:1-21; Dt. 32:1-43.
2 La canción de María marca su embarazo (Lc. 1:46-45); ángeles anuncian el nacimiento del niño Jesús con alabanzas celestiales (Lc. 2:14); y, naturalmente, las canciones de alabanzas en el libro de Apocalipsis nos recuerdan la segunda venida de Cristo y el reino eterno (por ejemplo, Ap. 19:5-8).
3 Dietrich Bonhoeffer una vez le dijo a sus estudiantes (todos los buenos intelectuales alemanes): *«Si desean ser pastores, ¡entonces deben cantar los villancicos de Navidad!»* (*«If you want to be pastors, then you must sing Christmas carols!»*)(Metaxas 2010, 129).

mente y nos ha salvado. Respondemos en alabanza. Por ende, nuestras mentes saben que nuestra deuda está más allá del repago y nuestros corazones gozan desde el fondo de nuestro ser. Somos amados por el Rey de Reyes y queremos decirlo a todo el mundo. Las palabras por si solas no son suficientes. Las canciones santas unen nuestros corazones y nuestras mentes. La música coral es especial particularmente porque une nuestros corazones y nuestras mentes en una unidad rara vez vista en otros lugares.

Esta unidad del corazón y la mente mediante la música es tan completa que no nos permite seleccionar una sobre la otra.[1] Aún la música instrumental comunica las formas y los temas complejos con profunda emoción.[2] Como todos tenemos canciones que nos hemos memorizado, la música es una forma de meditación practicada por casi todo el mundo. Repetimos y memorizamos canciones santas que definen quiénes somos, quiénes fuimos, y quiénes seremos.[3]

_____La música Santa es un don especial de Dios que atrae

1 Elliot (2006, 86) escribe: «_El amor se conecta a la sabiduría. Amar a Dios es aprender y repetir sus palabras constantemente. Esta sabiduría alimentará sus emociones_». («_Love is linked to knowledge. To love God you learn about him and rehearse his words constantly. This knowledge will fuel your emotions_»).

2 Tocar una partitura musical funciona como un tipo de mensaje subliminal que nos recuerda de la letra de canciones y toca muchos canales diferentes en nuestros cerebros.

3 Yo le digo a mis estudiantes que tengan cuidado al seleccionar la música que escuchan: cuando el alzhéimer tome control de su mente, ¿Quiere realmente que la última cosa que recuerde sea un comercial de televisión o una letra de rock pesado?

nuestros corazones y nuestras mentes hacia Él.

Dios Padre, te alabamos con cánticos durante toda nuestra vida. Te serviremos con alegría y entramos a Tu presencia con regocijo. Recordamos que Tú eres Dios: Tu nos hiciste; te pertenecemos; somos Tu pueblo —el rebaño de un pastor. Venimos a la iglesia con acción de gracias y confiamos en Tu juicio. Tus alabanzas llenan nuestros corazones y bendecimos Tu nombre. Porque Tú eres bueno y Tu amor nunca nos falla —incluso cuando hemos fallecido (Sal. 100). En el nombre del Padre, del Hijo, y del Espíritu Santo. Amén.

Preguntas

1. ¿Qué tienen en común todos los eventos de significado en la historia de salvación?

2. ¿Qué dos elementos se combinan en la música?

3. ¿Qué tiene de especial la música coral?

4. ¿Qué es una disciplina espiritual? ¿Cuáles son algunos objetivos que sirven las disciplinas espirituales?

5. ¿Por qué es la música como la meditación?

DÍA 42: ¿Por qué Dedicar Tiempo a la Oración Habitual?

«Toda la ciudad se había amontonado a la puerta. Y sanó a muchos que estaban enfermos de diversas enfermedades, y expulsó muchos demonios; y no dejaba hablar a los demonios... Levantándose muy de mañana, cuando todavía estaba oscuro, Jesús salió y fue a un lugar solitario, y allí oraba» (Mc. 1:33-35).

Jesús modeló la oración cotidiana.

El evangelio de Lucas registra la mayor cantidad de casos en los que Jesús oró. La primera instancia de oración fue durante su bautismo, cuando Jesús fue ungido por el Espíritu Santo en forma de una paloma (Lc. 3:21-22). Cuando las multitudes se reunían después de los milagros de sanidad, Jesús se retiraba a una lugar desolado para orar (Lc. 5:15). Cuando los fariseos lo atacaron por curar un día sábado, Jesús subió a una montaña y oró toda la noche. Al otro día, en lo que fue una de las decisiones más importante en su ministerio, escogió a los doce apóstoles (Lc. 6:21). Mientras oraba sólo entre los apóstoles, Jesús preguntó: *«¿Quién dicen las multitudes que soy Yo?»* (Lc. 9:18). Mientras oraba con Pedro, Juan, y Santiago en la cima de una montaña, Jesús se transfiguró (Lc. 9:28). Jesús estaba orando cuando los discípulos le pidieron: *«Señor, enséñanos a orar»*

(Lc. 11:1). La noche antes de su muerte, Jesús oró en el Jardín de Getsemaní (Lc. 22:41).

Dos cosas que las oraciones de Jesús tienen en común en el evangelio de Lucas son que él oraba a solas a menudo y siempre oraba durante momentos críticos en su ministerio. Es significativo que Dios estuviese visible y presente de modo audible en dos de las siete instancias de oraciones de Jesús registradas en Lucas. En el libro de Hechos, Pedro y Pablo se muestran practicando el hábito de la oración y experimentando visiones importantes durante la oración.[1] A partir de estos ejemplos, sabemos que Dios responde a la oración.

Jesús no es nuestro único modelo para la oración. Nuestro primer modelo de oración surge en el libro de Génesis. Dios se le aparece a un rey pagano, Abimelec, en un sueño donde Dios le instruye que le devuelva Sara a Abraham y que le pida a Abraham que ore por su sanidad. Abimelec obedeció las instrucciones de Dios. Entonces Abraham intercede por Abimelec en oración y Dios lo sana (Gén. 20:7-17). Obviamente, Dios cuida de los paganos y nos pide, como a Abraham, a orar por ellos. Y esta es la primera oración en las escrituras.

La oración es importante en los salmos. Por ejemplo, el Salmo 51 es una oración de confesión. El Rey David le pide

1 Por ejemplo, Hch. 10:9 y 9:11.

perdón a Dios perdón después de su adulterio con Betsabé y la muerte de su esposo, Urías el Hitita (2 Sam. 11). El Salmo 51 es importante para los cristianos[1] porque Jesús desciende del Rey David (Mt. 1:6-17).

El Apóstol Pablo también nos da un modelo de oración al amonestrarnos diciendo: «*Oren sin cesar*» (1 Tes. 5:17). La oración sin cesar quiere decir que el término «*oración diaria*» realmente no es apropiado. Lo que realmente queremos decir con oración habitual es orar por la mañana, orar durante a la cena, y orar antes de dormir. Orar mientras corremos, orar mientras deliberamos decisiones, orar de camino al trabajo...

La oración significa abrirnos a Dios. Y, a veces, incluso se dicen palabras.

Oh, querido Señor, gracias por responder a la oración. Gracias por las visiones que nos confortan, gracias por la sanidad que alivia el dolor, y gracias por Tu presencia que infunde paz para nuestras vidas. Aumenta nuestra fe. En el poder del Espíritu Santo, moldéanos a imagen de Tu hijo. En el nombre de Jesús ora-

---

1 Sal. 51 es también importante para los judíos porque es un ejemplo de pecado intencional que no es cubierto por sacrificios bajo el pacto de Moisés. Tanto el adulterio de David y la muerte de Urías fueron intencionales. Bajo la ley, solamente los pecados no intencionales podrían ser expiados con sacrificios.

mos. Amén.

Preguntas

1. ¿Dónde y cuándo fue la primera oración de Jesús que registra Lucas?

2. ¿Dónde y cuándo oraba Jesús típicamente?

3. ¿Cuáles fueron algunas ocasiones importantes para las oraciones de Jesús?

4. ¿Qué fue interesante acerca de la primera oración registrada en las escrituras?

DÍA 43: ¿Por qué Ejercitarse?

«Huyan de la fornicación. Todos los demás pecados que un hombre comete están fuera del cuerpo, pero el fornicario peca contra su propio cuerpo. ¿O no saben que su cuerpo es templo del Espíritu Santo que está en ustedes, el cual tienen de Dios, y que ustedes no se pertenecen a sí mismos?» (1 Cor. 6:18-19)

¿**E**n cuál de las disciplinas espirituales debiería enfocarme?

Los pecados nos distraen y nos separan de Dios. Las disciplinas espirituales de más valor se enfoquan en los pecados por los cuales somos especialmente vulnerables —la inmoralidad sexual y la gula. Ambos son pecados contra el cuerpo.

Jesús fue claro cuando dijo que los pecados empiezan en el corazón. En cuanto al pecado de adulterio, él dice: *«Pero Yo les digo que todo el que mire a una mujer para codiciarla ya cometió adulterio con ella en su corazón»* (Mt. 5:28). A esta declaración inmediatamente le sigue una hipérbole sobre cortarse ciertas partes del cuerpo que nos llevan a pecar.[1] Esta transición del corazón al cuerpo es un ejemplo de cómo el cuerpo y la mente están unidos.[2]

El mejor ejemplo de unidad del cuerpo y la mente aplica-

---

1 Me pregunto: ¿cuál parte de cuerpo es realmente el enfoque aquí?
2 Macchia (2014, 104) escribe: *«Su regla personal de la vida esta formada y reflectada en sus... Prioridades físicas (el cuido y entrenamiento de su cuer-*

dos a las disciplinas espirituales se encuentra en el libro de Henri Nouwen, «*Reaching Out*». Nouwen describe nuestro camino espiritual como una unidad de tres dimensiones —alcance hacia el interior de nosotros mismos, alcance hacia a fuera a los demás, y alcance hacia arriba a Dios. Adentro de nosotros mismos, pasamos de sentirnos solos a estar en paz en la soledad. En nuestras relaciones con los demás, vamos de la hostilidad a la hospitalidad. En nuestras relaciones con Dios, vamos de la ilusión a la oración (Nouwen 1975, 15). La paradoja de esta unidad en tres dimensiones es que el progreso en una dimensión hace que el progreso en las demás sea más fácil.

Esta vinculación del progreso espiritual en las diferentes dimensiones es importante, especialmente cuando estamos tratando con pecados del cuerpo. Los pecados contra el cuerpo invariablemente implican adicciones a niveles graves —comportamientos obsesivos en los cuáles nos involucramos en repetidas ocasiones. Cuando nos permitimos nuestras «indulgencias pequeñas», estas se extienden a otros aspectos de nuestra vida. Los malos comportamientos se convierten en hábitos malos que se convierten en estilos malos de vida. Entrar en ayuno en áreas vulnerables de nuestras vidas puede eliminar malos com-

po, mente, y corazón)». («*Your personal rule of life is formed and reflected in your... physical priorities (the care and training of your body, mind, and heart)*»).

portamientos al principio del proceso. Gerald May (1988, 177) escribe: «*Todo se reduce a eliminarlo, no participar en el próximo comportamiento adictivo, y no caer en la próxima tentación*».[1] Por esta razón, la disciplina física limpia todo el sistema.

¿Por qué ejercitarse? La respuesta fácil es porque tu cuerpo es el templo de Dios. Estamos bajo una obligación a nosotros mismos y a Dios de mantener nuestro templo limpio. Una respuesta más sofisticada es que las disciplinas físicas nos otorgan la energía a disciplinar otras, áreas menos obvias de nuestras vidas. El cuerpo y la mente son inseparables —el ejercicio físico es una especie de asalto a nuestra isla de pecados.[2] Los desembarcos, como la invasión en Iwo Jima durante las Segunda Guerra Mundial[3], son riesgosos pero la recompensa es enorme. Es irónico que cuando nos ejercitamos frecuentemente demostramos menos interés en alimentos, alcohol, y hasta tabaco, porque estamos más relajados y seguros de nosotros mismo.

En mi clase de cuidado pastoral[4], nos enseñaron a buscar

---

1 «*It all comes down to quitting it, not engaging in the next addictive behavior, not indulging in the next temptation*».
2 Reynolds (2012), quien escribe casi exclusivamente acerca de una perspectiva bíblica de la pérdida de peso, observa que el primer pecado en la Biblia es una tentación que involucra alimentos (Gén. 3:1-6).
3 Japón es una nación de islas. En Febrero 1945, las fuerzas anfibias de los Estadios Unidos desembarcaron en la isla Japones de Iwo Jima y lucharon contra la milicia japonesa durante una de las batallas más sangrientas de la guerra.
4 Educación Pastoral Clínica (Clinical Pastoral Education)

diferencias entre las palabras y el lenguaje corporal de los pacientes que visitamos. Esta desharmonia entre las palabras y lenguaje corporal es, naturalmente, una medida de la verdad. De la misma manera, el paradigma bíblico de belleza es que la verdad de un objeto coincide con su apariencia.[5] ¿Mencioné que el cuerpo y la mente están estrechamente vinculados?

Padre Todopoderoso, te alabamos por el don de la vida. Camina con nosotros por la playa en la mañana. Corre con nosotros a través de los campos de maíz en la noche. Nada con nosotros mientras ejercitamos nuestros cuerpos y nuestras mentes. En el poder del Espíritu Santo, transfórmanos en Tu pueblo. En el nombre precioso de Jesús oramos. Amén.

Preguntas

1. ¿Qué es el pecado? ¿Cómo nos ayudan a seleccionar una disciplina espiritual?

5«*Nuestras imagines modernas se enfocan en la superficie y el acabado; Las imágenes del Antiguo Testamento presentan estructura y carácter. Las imágenes modernas son estrechas y restrictivas; las de ellos eran amplias e inclusivos... Para nosotros la belleza es principalmente visual; su idea de belleza incluía sensaciones de luz, color, olor, y hasta sabor*» («*Our modern images feature surface and finish; Old Testament images present structure and character. Modern images are narrow and restrictive; theirs were broad and inclusive...For us beauty is primarily visual; their idea of beauty included sensations of light, color, sound, smell, and even taste*») (Dyrness 2001, 81).

2. ¿Cuáles son las dos tentaciones más difíciles que enfrentan los americanos? ¿Qué tienen en común?

3. ¿Dónde empiezan los pecados según Jesús?

4. ¿Cómo describe Henri Nouwen la unidad de nuestras vidas espirituales? ¿Cuáles son las tres dimensiones y movimientos? ¿Cómo se conectan?

5. ¿Cómo se inician las adicciones? ¿Cómo podemos detenerlas?

6. ¿Por qué es el ejercicio una disciplina espiritual?

DÍA 44: ¿Por qué es el Trabajo una Disciplina Espiritual?

«Todo lo que hagan, hágan lo de corazón, como para el Señor y no para los hombres, sabiendo que del Señor recibirán la recompensa de la herencia. Es a Cristo el Señor a quien sirven» (Col. 3:23-24).

*L*a gravedad del pecado de la idolatría es obvia. Si nuestra fidelidad, tiempo, energía, y dinero apuntan a las cosas que nosotros adoramos realmente (Giglio 2003, 113), entonces el corazón de nuestras actividades idolatras debe estar en nuestro trabajo —dentro o fuera de la iglesia; dentro o fuera del hogar. El trabajo también es, muchas veces, una fuente de estrés, miedo, y ansiedad.

Jesús entiende. En un momento, él describió una escena de lirios y reyes. Luego, aconsejó:

> Ustedes, pues no busquen qué han de comer, ni qué han de beber, y no estén preocupados... Pero busquen Su reino, y estas cosas les serán añadidas (Lc. 12:29-31).

En otras palabras, el trabajo es importante; el reino de Dios es más importante.

El trabajo, tal como fue diseñado por Dios, tiene dignidad. La Biblia comienza mostrando a Dios trabajando —Él crea (Welchel 2012, 7). ¡El único hijo de Dios trabajaba con sus manos! Si Cristo trabajaba primero con sus manos como carpintero, entonces el trabajar con nuestras manos también debe de tener dignidad. Casi todos los discípulos trabajaban como pescadores —¿piensa que ellos regresaban a casa oliendo a lirios? Una de las actividades más radicales de Jesús fue el comer (se dice —ministerio de mesas) —comía y bebía con personas que trabajaban por sus sustento (Mt. 11:19).[1]

La actitud del apóstol Pablo hacia el trabajo es significativo por dos razones. Primero, nuestro trabajo para los jefes humanos es también trabajo para Dios. (Col. 3:23-24). Segundo, nosotros muchas veces trabajamos para hermanos y hermanas en Cristo —la familia. ¿Cómo puede alguien faltarle el respeto a su familia? (Flm. 1:16) ¡Imposible! ¡Impensable!

Uno de los escritores más importante de la iglesia fue un veterano que trabajaba en una cocina. Él no escribió casi nada, pero dedicaba su trabajo a Dios en oración durante el día. El Hermano Lawrence (1982, 23) escribió:

debemos ofrecer nuestro trabajo a Él antes de comenzar
y agradecerle a Él después por el privilegio de haberlo
hecho por Él.[2]

Él simplemente aplicó el consejo de Pablo: «*Oren sin ce-*

1 Esta cita viene de la parábola de los mocosos —una de mis favoritos (Mt. 11:16-19).
2 *«We should offer our work to Him before we begin and thank Him af-*

sar» (1 Tes. 5:17). Y los gigantes espirituales de su tiempo forjaron una trayectoria hasta su puerta.

Una medida del potencial idólatra hacia trabajo es preguntar acerca de la identidad. Cuando te encuentras con un nuevo vecino o alguien en una fiesta, ¿cómo te presenta tu pareja? ¿Por tu estado matrimonial, por tu equipo de deporte favorito, o por tu profesión?

¿Qué te mantiene ocupado?

Padre amoroso, te alabamos por darnos cosas útiles que hacer. Te alabamos por equiparnos para la obra en Tu iglesia. Gracias por darnos nuevos ojos para ver nuestro trabajo, nuestros jefes, y nuestras responsabilidades principales. La cosecha está lista, prepáranos para compartir con los obreros. En el nombre del Padre, del Hijo, y del Espíritu Santo. Amén.

Preguntas

1. ¿Cómo se puede convertir el trabajo en un epicentro de idolatría? ¿Por qué?

2. ¿Qué dice Jesús cerca de la ansiedad?

3. ¿Qué trae la dignidad a nuestro trabajo?

4. Nombra dos maneras en que el Apóstol Pablo transformó las
terwards for the privilege of having done it for His sake».

actitudes acerca del trabajo.

5. ¿Cómo se puede emplear la oración para transformar nuestro trabajo?

6. ¿Cómo puede el trabajo formar nuestra identidad personal?

DÍA 45: ¿Qué es Espiritual Acerca del Matrimonio y la Familia?

«Mujer hacendosa, ¿quién la hallará? Su valor supera en mucho al de las joyas» (Prov. 31:10).

¿Cómo el matrimonio ha transformado tu vida? Si tú no estás casado, ¿cómo el matrimonio de tus padres ha impactado tu vida?

Las escrituras empiezan y terminan con el matrimonio. En Génesis, vemos una pareja, Adán y Eva, ¡quienes son hechos el uno para el otro! En el libro de Apocalipsis, un ángel nos informa: *«Bienaventurados los que están invitados (los llamados) a la cena de las Bodas del Cordero»* (Ap. 19:9). Obviamente, el matrimonio fue idea de Dios (Keller 2011, 13).

Como una promesa incondicional —hasta que la muerte nos separe, el matrimonio es también formativo y provee un paradigma para otros pactos. Esto implica que el matrimonio, en si mismo, puede funcionar como una disciplina espiritual.

Los comentarios del Apóstol Pablo sobre los matrimonios mixtos según su fe resaltan el carácter formativo del matrimonio. Pablo nos informa que el cónyuge creyente hace el matrimonio santo para los niños (1 Cor. 7:12-14). Pablo también ve el matrimonio como una oportunidad para dar testimonio. Pablo pregunta: «*¿cómo sabes tú, mujer, si salvarás a tu marido? ¿O cómo sabes tú, marido, si salvarás a tu mujer?*» (1 Cor. 7:16).[1]

En otras palabras, Pablo ve claramente que el matrimonio posee un componente de sacrificio.[2] La misma enseñanza de Jesús sobre el divorcio y un nuevo matrimonio obtiene su inspiración, no de la Ley de Moisés (que admite excepciones), sino de la obra eterna de Dios en la creación.[3]

Pero si el matrimonio es una disciplina espiritual, ¿cómo nos acercamos más a Dios?

El matrimonio es formativo en nuestra fe al menos por tres razones. La primera razón es que Dios instituyó el matrimonio y encargó el matrimonio con una bendición y un mandato: «*Sean fecundos y multiplíquen se. Llenen la tierra y sométan la*» (Gén. 1:28). Dios creó el matrimonio, lo bendijo, y dijo que estaba bien —el obedecer a Dios debe acercarnos a él.

La segunda razón por la cual el matrimonio es formativo es porque se comienza con una promesa incondicional. Dios es

1 Hay muchas cosas escritas sobre la enseñanza tradicional de la iglesia que prohibe volver a casarse después del divorcio. Para ver una discusión de las perspectivas, vea: Wenham, Heth, and Keener (2006). Mi punto aquí no es abogar una posición particular sino reconocer que el matrimonio tiene un componente de sacrificio que se pierde frecuentemente en nuestra era de divorcio por consentimiento mutuo.
2 En la traducción de la iglesia católica romana, el matrimonio es también un sacramento.
3 Dt. 24:1-4, Mt. 19:6-9, y Gén. 2:24.

el guardián de la promesa eterna. En el matrimonio imitamos a nuestro creador. Hacer y mantener buenas promesas —aunque sea doloroso— nos transforma y nos acerca a Dios.

La tercera razón por la cual el matrimonio es formativo es que nos obliga a rendir cuentas. ¡Nuestros cónyuges nos conocen en el sentido bíblico (se hizo un pacto)! Nuestras debilidades y pecados afectan a nuestros cónyuges y ellos nos lo dicen. Pecamos menos, en parte, porque nuestros cónyuges nos hacen más consciente de nuestros pecados —un proceso de santificación que nos cambia— ¡aún si no somos creyentes! Parte de este proceso es aprender habilidades de reconciliación durante el uso cotidiano.[4] Como el Apóstol Pablo escribió: «*Y todo lo que hagan, de palabra o de hecho, hágan lo todo en el nombre del Señor Jesús, dando gracias por medio de El a Dios el Padre*» (Col. 3:17).

Esta lista de razones por las cuáles el matrimonio es formativo es especialmente interesante porque Dios instituyó el matrimonio incluso antes de instituir la nación de Israelí o de enviar a su hijo a morir en la cruz.

Dios no es irracional. Él sabe que los mayores beneficiarios del matrimonio son nuestros niños. Y Él los ama tanto como

---

4 El matrimonio es tan importante en el pensamiento del Apóstol Pablo que uso los códigos domésticos (Ef. 5:22-6:10; Col. 3:17-4:4) como una metáfora para las relaciones en la iglesia. Pablo escribe: «*pues si un hombre no sabe cómo gobernar su propia casa, ¿cómo podrá cuidar de la iglesia de Dios?*» (1 Tim. 3:5)

Él nos ama a nosotros. Esta es probablemente la razón por la que Dios le da una alta prioridad al matrimonio. Nosotros también deberíamos hacerlo.

Todopoderoso y amoroso Dios, te alabamos por instituir y bendecir nuestros matrimonios. Te agradecemos por el don de los niños y por la manera en que nos transformas a través de y con nuestras familias. En el poder del Espíritu Santo, concédenos la sabiduría y la fuerza para cuidar a nuestros cónyuges y a nuestros niños día tras día. En el nombre precioso de Jesús oramos. Amén.

Preguntas

1. ¿Por qué debemos creer que el matrimonio fue la idea de Dios?

2. ¿Por qué creyó el Apóstol Pablo que el matrimonio tiene un componente sacrificial?

3. ¿Cuáles son las tres razones por las cuales el matrimonio debe ser considerado una disciplina espiritual?

4. ¿Por qué Dios coloca en alta prioridad al matrimonio?

DÍA 46: ¿Por qué Participar en un Grupo Pequeño?

«Día tras día continuaban unánimes en el templo y partiendo el pan en los hogares, comían juntos con alegría y sencillez de corazón, alabando a Dios y hallando favor con todo el pueblo. Y el Señor añadía cada día al número de ellos los que iban siendo salvos» (Hch. 2:46-47).

*L*a iglesia primitiva era un grupo pequeño. Muchas iglesias siguen siendo pequeñas por elección.

Mi primera experiencia con los grupos pequeños ocurrió en la escuela secundaria cuando nuestro pastor principal se retiró y la directora de jóvenes también se fue. De la noche a la mañana nuestro programa de jóvenes se desmoronó. El pastor asociado intervinó para llenar el vacío, pero sólo dos de nosotros permanecimos en el programa: mi mejor amigo y yo. A lo largo de mi último año en la escuela secundaria, nuestro tiempo junto se enfocó en dos cosas: el libro de Romanos y el libro de Dietrich Bonhoeffer: *El Precio de la Gracia*. Curiosamente, mi mejor amigo y yo ambos somos pastores ahora.

El grupo pequeño original es la Trinidad —el Padre, Hijo, y Espíritu Santo. Debido a que nuestra identidad está formada por las relaciones que tenemos[1], nuestra relación con el

1 Miner (2007, 116) hace una pregunta importante: «*¿Podemos tener una relación separada y distinta con cada miembro de la Trinidad?*» («*Can we have a separate and distinct relationship with each member of the Trinity?*»)

Dios Trino nos da un ejemplo importante de lo que una comunidad amable y en buen funcionamiento debe ser.[1]

Otro ejemplo fundacional de un grupo pequeño es la familia. Las familias cubren sobre cada asunto importante en la vida. En la familia, aprendemos a conversar, orar, y leer las escrituras. Nuestras familias también nos enseñan a bromear, a amar, a luchar, y a reconciliar. Mi primer ministerio como un adulto fue dirigir a mi familia.

Jesús no escribió un libro; él estableció un grupo pequeño. Esta simple observación es notable porque Jesús atrajo grandes multitudes —por lo tanto, su enfoque de discipular los doce parece contra-intuitivo. Jesús llamó a los doce discípulos después de pasar una noche entera en oración (Lc. 6:12). Los evangelios registran cuán difícil fue el camino de fe para los discípulos de Jesús. No todos lo completaron (Jn. 6:66).

Los grupos pequeños nos proporcionan la seguridad para hacer las transiciones difíciles (Icenogle 1994, 126-37).[2]

1 Esta relación tiene un nombre: *perichoresis* que significa —danza divina. Define la especial e intima relación que vemos en la Trinidad (Keller 2008, 213-26). También vea (Fairbairn 2009, 37-50).

2 Bridges (2003, 43) hace el punto que le tomó a Moisés tal vez 40 días para sacar al pueblo de Israel de Egipto, pero le tomó casi 40 años para remover la influencia de Egipto de la gente (Núm. 11:5). El punto es que las transiciones empiezan con la gente mirando hacia atrás, procede durante un largo período de inseguridad, y termina con la gente comenzando a adaptarse al nuevo medio ambiente (Bridges 2003, 100). Después de 40 años en el desierto, se necesitó el liderazgo nuevo de Josúe para conducir al pueblo de Israel a la Tierra Prometida.

Casi todas las tragedias de la vida son transiciones involuntarias. Durante esas transiciones, frecuentemente nosotros gritamos: *¿Señor, por qué a mi?* Las transiciones se convierten en oportunidades para crecimiento cuando oramos: *¿Señor, por qué me has traído a este tiempo y lugar?* Los grupos pequeños proporcionan un lugar seguro para hacer esta pregunta mientras invita a los miembros a esperar por la respuesta del Señor juntos.

Padre Santo, te alabamos por Tu ejemplo divino de vida en comunidad. Protéjenos durante de las transiciones de la vida. Concédenos guías espirituales para el camino que nos ayuden a hacer las preguntas correctas y pereservar con nosotros hasta que lo hagamos. En el poder del Espíritu Santo, enséñanos a aceptar ayuda y como ofrecerla en gracia. En el nombre de Jesús oramos. Amén.

Preguntas

1. ¿Qué actividades de grupos pequeños definían la iglesia primitiva?

2. ¿Son los números siempre una medida del éxito de un grupo pequeño?

3. ¿Cuál fue el grupo pequeño original?

4. ¿Qué es una transición? ¿Cuántas partes tiene?

5. ¿Qué pregunta espiritual puede ser planteada de manera efectiva en una transición?

DÍA 47: ¿Por qué el Día de Reposo?

«Porque el Hijo del Hombre es Señor del día de reposo»
(Mt. 12:8).

¿Cuál es el primer pecado en la Biblia?

La respuesta típica es que el primer pecado ocurrió cuando Adán y Eva comieron del árbol del bien y mal. Una interpretación alternativa señala que a pesar de que Adán y Eva fueron creados en Génesis 1, cuando Dios descansó el primer día de reposo en Génesis 2 a ellos no se les menciona (Feinberg 1998, 16). El primer pecado en las escrituras, se argumenta entonces, es un pecado de omisión (no hacer el bien). Ocurrió cuando Adán y Eva se negaron a participar en el día de reposo. Fue como si Dios tuviese una fiesta y ellos se negaron a venir.[1]

Después de esto, los pecados en Génesis se intensificaron desde una falta de respeto hasta una rebeldía abierta. En Génesis 3, Adán y Eva cometen su primer pecado de comisión (hacer lo malo). En Génesis 4, Caín mata a Abel y Lamec se venga. En Génesis 5, Noé —el hombre que descansó— nació.[2] En Génesis 6, Dios le dice a Noé que construya un arca porque él planea-

---

1 Una debilidad de esta interpretación es que Adán y Eva se sintieron culpablespor su desnudez, pero no sintieron la empatía por el dolor que le causaron a Dios (Gén. 3:7).
2 En hebreo, Noé significa descanso (Feinberg 1998, 28). También ver: Kline (2006, 229).

ba enviar una inundación en respuesta a la profundidad de la corrupción humana y el pecado. Después de la inundación, sólo Noé y su familia permanecieron.[1]

Esta interpretación se refleja en el Nuevo Testamento donde el reino de Dios se comparó a una boda. Jesús cuenta una parábola enigmática de un rey que celebra un banquete de boda para su hijo. Cuándo el banquete estuvo listo, el rey envió sus siervos a informarle a sus invitados. Pero, en lugar de responder al recordatorio, muchos de los invitados esperados ignoraron la invitación mientras otros cometieron actos de violencia, contra los siervos del rey, hasta asesinato. El punto culminante de esta historia viene en el versículo 7: «*Entonces el rey se enfureció, y enviando sus ejércitos, destruyó a aquellos asesinos e incendió su ciudad*» (Mt. 22:7).

Si tratamos el día de reposo como un anticipo del reino de Dios, esta parábola puede ser una alegoría al primer pecado, en el que Adán y Eva rechazaron la invitación de Dios a unirse a él ese primer día del reposo. El pecado original, de acuerdo a esta interpretación, fue el rechazo despectivo de la invitación generosa de Dios en el séptimo día. El hecho de que la parábola del banquete de bodas es una parábola de juicio es un recorda-

1 Kline (2006, 221-227) ve la historia de Noé como un evento de volver a crear. El arca de Noé sirve como un prototipo del tabernáculo, el templo, y en última instancia, el mismo cielo.

torio enfático que DIOS REALMENTE QUIERE QUE DESCANSEMOS CON ÉL.

El día de reposo es tan importante para Dios que es el cuarto y el más largo de los *Diez Mandamientos* dados a Moisés (Ex. 20:8-11). ¿Por qué era importante para el pueblo judío? Las personas libres descansan; los esclavos trabajan. La experiencia de esclavitud en Egipto y más tarde en Babilonia fue un recordatorio de que el descanso es un privilegio que no siempre disfrutaron.

¿Somos un pueblo libre? ¿Descansamos? ¿Descansamos con Dios?

Jesús se describió a si mismo como el Señor del Sábado, no vivir con él, sino para reorientar el deseo de Dios para nuestras vidas. El día de reposo es una puerta de entrada a las disciplinas espirituales ya que las otras disciplinas son más fáciles de seguir. La gente descansada tiene energía para preocuparse por las cosas. La gente cansada lucha por amar a Dios o a su prójimo.

La confusión acerca del día de reposo surge, en parte, debido a que el sábado judío era el último día de la semana, mientras que los cristianos celebran el día de reposo como el primer día de la semana.[2] Los pastores y otros que tienen que trabajar

---

2 Chang (2006, 81) escribe: «*El domingo es el primer día de la semana, pero los cristianos de la iglesia primitiva también lo llamaron el octavo día. Por*

los domingos frecuentemente designan otro día como su día de reposo e informan a su familia y amigos. El punto es consagrar un día cada semana para honrar y descansar con Dios.

Padre de gracia, descansa con nosotros. Concédenos la energía para preocuparnos. Permite enfocarnos un día cada semana en ser Tu pueblo y modelar Tu amor a los que nos rodean. En el nombre del Padre, del Hijo, y del Espíritu Santo. Amén.

Preguntas

1. ¿Cuál fue el primer pecado en las escrituras?¿Cuál es la diferencia entre un pecado de omisión y un pecado de comisión?

2. ¿Qué es una alegoría?

3. ¿Por qué es el reposo sabático importante en la historia de los judíos? ¿Por qué es importante para Dios?

4. ¿Cómo es el día de reposo una puerta de enlace a las disciplinas espirituales?

---

nombrarlo el octavo día, los cristianos entendieron la resurrección como un evento que rompió la limitación del mundo del ciclo semanal». («Sunday is the first day of the week, but the early Christians also called it the eighth day. By call it the eighth day, the Christian understood the resurrection event as breaking through the earthly limitation of the weekly cycle»).

DÍA 48: ¿Qué es Adoración?

«...los veinticuatro ancianos se postran delante de Aquél que está sentado en el trono, y adoran a Aquél que vive por los siglos de los siglos, y echan sus coronas delante del trono, diciendo: Digno eres, Señor y Dios nuestro, de recibir la gloria y el honor y el poder, porque Tú creaste todas las cosas, y por Tu voluntad existen y fueron creadas» (Ap. 4:10-11).

Si las disciplinas espirituales nos señalan a Dios, entonces la adoración es el príncipe de las disciplinas espirituales. De hecho, hemos sido creados para la adoración (Calhoun 2005, 25).

Desafortunadamente, la primera instancia en la Biblia de adoración también nos muestra una imagen de adoración impropia. Caín trajo una ofrenda de frutas a Dios; Abel mató el primogénito de sus ovejas y trajo a Dios las partes de grasa. Dios honró el sacrificio de Abel, pero no él de Caín (Gén. 4:3-5). La adoración impropia es como invitar su jefe a cenar a su hogar y servirle solo sobras —puede ser que no lo despidan pero se degrada la relación.

Uno de los diáconos de la iglesia, Esteban, fue arrestado en Jerusalén y fue acusado ante el sanedrín. Allí, él los acuso de limitar el acceso de Dios en el templo, de matar los profetas, de traicionar y asesinar a Cristo, y por lo tanto, de no guardar la ley. La adoración impropia —limitar el acceso de Dios — fue el primer cargo. Por esta y otra cosas, se llevaron a Esteban y lo apedrearon (Hch. 7:48-58).

La queja de Esteban no era sobre los sacrificios en el altar. Cuando los israelitas vivían en Egipto, ellos tenían que ir al desierto a ofrecer los sacrificios, en parte, porque sacrificaban los animales que eran sagrados para los egipcios (Ex. 8:26). El punto de los sacrificios era a demostrar lealtad a Dios al abandonar los ídolos típicos de la era (Lev. 17:7).[1] Sin embargo, con el tiempo estos sacrificios perdieron su significado, se convirtieron en rutina, o, peor, empezaron a parecer como sobornos divinos — adoración impropia.[2] Haciendo eco al Profeta Isaías (Is. 1:16), el Rey David escribe: «*Los sacrificios de Dios son el espíritu contrito; Al corazón contrito y humillado, oh Dios, no despreciarás*» (Sal. 51:17). El contenido de la adoración es lo que hace la adoración propia o impropia, no su forma.

Un cuadro importante de la adoración apropiada se da en Apocalipsis 4:10-11 donde los veinticuatro ancianos echan abajo sus coronas delante del trono de Dios. En el cielo, los ancianos

---

1 Para mayor discusión, véase (Hahn 2009, 150).
2 Por ejemplo, el profeta Isaías (Is. 1:13) escribe: «*No traigan más sus vanas ofrendas, El incienso Me es abominación. Luna nueva y día de reposo, el convocar asambleas: ¡No tolero iniquidad y asamblea solemne!*» (Is. 1:13) De igual manera, el profeta Malaquías escribe: «*Y cuando presentan un animal ciego para el sacrificio, ¿no es eso malo?*» (Mal. 1:8)

echan abajo las coronas que Dios les dio, sin embargo, lo hacen humildemente (por ejemplo, Ap. 2:10). En la tierra, una corona es un símbolo (un ídolo) de nuestra vanidad —una ostentación de la riqueza, poder, y autoridad personal; ¡no necesita ser una tiara de oro! Cuando yo echo mis coronas a los pies del Rey de Reyes, abandono todos mis ídolos —el dinero, el poder, y la autoridad— a Dios. *«En la Tierra Como en el Cielo»* —es el último acto de adoración suprema.

¿Cómo podemos entonces colocar adecuadamente nuestras coronas delante del Señor?

La adoración apropiada es un evento que destrulle ídolos.[3] En la adoración, demostramos nuestra lealtad a Dios al rendir a Dios los ídolos que típicamente capturan nuestros corazones —nuestra dinero, nuestro poder, y nuestra autoridad. Para algunos, esto significa la emisión de cheques; para otros, puede ser donar el tiempo; para otros, puede ser simplemente el presentarse a la adoración limpio y sobrio. Para la mayoría de nosotros, significa traer a nuestras familias. Para todos, significa unirse en la adoración de Dios. La adoración es una mezcla intercalada de

---

3 *El profeta Mohammed (1934, 21.51-.66) escribió que el padre de Abraham fue un fabricante de ídolos. Un día cuando su padre estaba fuera, Abraham destrozó todos los ídolos en la tienda excepto el más grande. Cuando su padre regresó y le enfrentó, Abraham le dijo a su padre que le preguntara al ídolo restante lo que había sucedido. Su padre respondió —ya sabes que los ídolos no pueden hablar. A lo que respondió Abraham —entonces ¿porque adorar otras cosa que no son el Dios vivo?*

alabanzas.

Cuando buscamos a Dios fuera de nuestro orgullo y de nuestros ídolos , echamos abajo nuestras coronas y ofrecemos verdadera adoración.

Padre Todopoderoso, te alabamos por lo que eres y por ser digno de nuestra adoración. Atráenos a ti. Reconcílianos con nuestros vecinos. Que podamos poner nuestras coronas delante de ti y descansar sólo contigo. En el poder del Espíritu Santo, abre nuestros corazones; ilumina nuestras mentes; fortalece nuestras manos en Tu servicio. En el nombre de Jesús oramos. Amén.

Preguntas

1. ¿Por qué debe ser la adoración llamada el príncipe de las disciplinas espirituales?

2. ¿Cuáles son algunos ejemplos de adoración impropia?

3. ¿Qué significa lanzar nuestras coronas delante del trono de Dios?

4. ¿De que manera es la adoración sacrificial? ¿Qué tiene que ver la adoración con romper los ídolos?

CONCLUSIÓN

¿*CUALES SON LAS PREGUNTAS GRANDES DE LA FE*?

¿*CÓMO NUTRIMOS NUESTRO CAMINAR CON EL SEÑOR*?

DÍA 49: ¿Cuáles son las Preguntas Grandes de la Fe?

«Porque de tal manera amó Dios al mundo, que dio a Su Hijo unigénito (único), para que todo aquél que cree en El, no se pierda, sino que tenga vida eterna» (Jn. 3:16).

¿Cómo responden los cristianos a las cuatro grandes preguntas de la fe?[1] El *Credo de los Apóstoles*, el *Padre Nuestro*, y los *Diez Mandamientos* ofrecen percepciones reales.

¿Quién es Dios? En el *Credo de los Apóstoles*, Dios es un dios en tres personas —Padre, Hijo, y Espíritu Santo— a quien podemos conocer a través de la historia de Jesús como está revelada en las escrituras. En el *Padre Nuestro*, Dios, por medio de Su gobierno sobre toda la creación, nos moldea a Su imagen día tras día mientras caminamos en obediencia a Él. En los *Diez Mandamientos*, Dios es el creador supremo de pactos quien expresa Su amor por nosotros vía la orientación concreta. El Dios Trino está vivo y obra en el mundo para formar la iglesia, perdonar pecados, y concedernos una vida recreada.

¿Quiénes somos? En el *Credo de los Apóstoles*, hemos sido invitados a una relación con el Dios Trino y a participar en la historia de Jesús. En el *Padre Nuestro*, somos vistos como crea-

---

1 Cómo se mencionó anteriormente, las cuatro grande preguntas en filosofía son: metafísica (¿Quién es Dios?), antropología (¿Quién somos?), ética (¿Qué hacemos?), y epistemología (¿Cómo lo sabemos?) (Kreeft 2007, 6).

dos a la imagen de Dios que luego nos ofrece dignidad y valor intrínseco. Sin embargo, nuestra reflexión de la imagen de Dios es imperfecta debido a la influencia del pecado. En los *Diez Mandamientos*, Dios inicia una relación de pacto con nosotros, lo que nos proporciona una guía clara para vivir de una manera que le agrada a Él.

¿Qué debemos hacer? En el *Credo de los Apóstoles*, se nos presenta un cuadro detallado de Dios, especialmente en la vida y obra de Jesucristo, en quien se nos exhorta a creer y a emular en vida, muerte, y resurrección (Flp. 3:9-11). En el *Padre Nuestro*, se nos capacita a comunicarnos directamente con Dios en oración y llevar la imagen de Dios al mundo. En los *Diez Mandamientos*, la ley nos guía en la vida diaria a través de la acción concreta.

¿Cómo lo sabemos? El *Credo de los Apóstoles* nos recuerda que estamos unidos con la iglesia atravéz de todas las épocas delante de un Dios santo y amoroso. Las escrituras registran los *Diez Mandamientos* y el *Padre Nuestro*. El Espíritu Santo inspiró a los autores e ilumina nuestras lecturas. La divinidad de Cristo ancla las escrituras porque Jesús expresó su confianza en él (Mt. 5:18). Como Jesús profetizó —«*Pero El respondió: Les digo que si éstos se callan, las piedras clamarán*».— investigaciones arqueológicas validaron muchos eventos y lugares en las escrituras (Lc. 19:40).[1]

Nuestra fe en Dios es paradójica.[2] Al igual que un niño capaz de jugar con abandono debido al ojo vigilante de su padre o madre, somos libres en Cristo para vivir dentro de la voluntad de Dios para nuestras vidas. En Cristo, la brecha de tiempo, espacio, y santidad entre nosotros y Dios es cerrada. La libertad en Cristo entonces trae descanso para nuestros almas.[3]

Padre Celestial, Hijo Amado, Espíritu Santo, te agradecemos por no dejarnos sólos y por preocuparte por nosotros. Inspira nuestros corazones e ilumina nuestras mentes para poder ser luz en un mundo oscuro y confuso. En el precioso nombre de Jesús oramos. Amén.

Preguntas

1. ¿Cuáles son las cuatro grandes preguntas de la fe?

2. ¿Cómo el *Credo de los Apóstoles*, el *Padre Nuestro*, y los *Diez Mandamientos* nos ayudan a entender estas pregunatas?

1 Si no está convencido. Lea unas historias en el *NIV Archaeological Study Bible* (Zondervan, 2005).
2 Apóstol Pablo escribió: «*Porque ciertamente él fue crucificado por debilidad, pero vive por el poder de Dios. Así también nosotros somos débiles en él, sin embargo, viviremos con él por el poder de Dios para con ustedes*» (2 Cor. 13:4).
3 Jesús dijo: «*Tomen mi yugo sobre ustedes y aprendan de mí, que yo soy manso y humilde de corazón, y hallaran descanso para sus almas*» (Mt. 11:29).

3. En tus propias palabras, ¿cómo respondes a estas preguntas?

DÍA 50: ¿Cómo Nutrimos Nuestro Caminar con el Señor?

«Entonces, ustedes como escogidos de Dios, santos y amados, revístan se de tierna compasión, bondad, humildad, mansedumbre y paciencia (tolerancia); soportándose unos a otros y perdonándose unos a otros, si alguien tiene queja contra otro. Como Cristo los perdonó, así también háganlo ustedes» (Col. 3:12-13).

Debemos nutrir nuestro caminar con el Señor, pero el control no está en nuestras manos. *«El discipulado significa adhesión a Cristo»*[1] (Bonhoeffer 1995, 59).

Jesús cuenta la historia de un hombre con dos hijos. El hijo más joven se le acercó un día y pidió su herencia en dinero en efectivo. A continuación, tomó el dinero, salió del pueblo, y comenzó a vivir la vida por todo lo alto. Este modo de vida imprudente no duró mucho tiempo y pronto el joven tuvo que conseguir un trabajo. Al no planificar, él tiene que aceptar un trabajo degradante. Como la mente del hijo empezó a divagar, él se acordó de la buena vida en su hogar y resolvió pedirle a su padre que lo aceptara otra vez como un sirviente doméstico. Cuándo el padre vio que venía su hijo, él fue a recibirlo y lo envolvió en su brazos. Como el hijo comenzó a disculparse por su comportamiento horrible, su padre no escuchó nada más. Él tomó a su

1 *«Discipleship means adherence to Christ»*

hijo, lo limpió, le consiguió ropas nuevas, y dio una fiesta.[2] Más tarde, cuando su hermano mayor regresó a la casa y descubrió la fiesta, se puso celoso, y comenzó a portarse mal. Pero su padre le recordó:

> *Pero era necesario hacer fiesta y regocijarnos, porque éste, tu hermano, estaba muerto y ha vuelto a la vida; estaba perdido y ha sido hallado* (Lc. 15:32).

La historia del hijo pródigo muestra un hombre joven que pasa por una serie de retos —transiciones— que lo capacita a ver a su padre con ojos nuevos y a aceptar la ayuda de su padre.[3] Sin estos desafíos, él no habría sido capaz de cerrar la brecha entre él y su padre.

Para nosotros, las visitas al hospital suelen plantear tales transiciones. Las visitas de hospital comienzan normalmente con un problema de salud, seguida por un confuso período de tratamientos médicos, y terminan con un retorno a la vida exterior. El detalle es que el problema de salud, es a menudo un síntoma, no la causa real de la visita. El problema real podría ser el dolor sobre la muerte de un miembro de la familia, el trauma no

---

2 Como cristianos, compartimos sólo una cosa en común: somos perdonados. Es nuestro Padre celestial quien nos viste de: «*compasión, bondad, humildad, mansedumbre y paciencia*» (Col. 3:12).

3 Turansky y Miller (2013, 4) observa: «*Aún en los tiempos del Antiguo Testamento, Dios sabía que los hijos aprenden mejor a través de las experiencias de la vida*» («*Even in Old Testament times, God knew that kids learn best through life experiences*»).

resuelto del pasado, o un malo estilo de la vida. Debido a que una solución del problema real permanece nublada por la negación, muchas personas mueren innecesariamente de enfermedades prevenibles y dolencias tratables.

Nuestro camino de fe también está nublado. Todos nosotros negamos la necesidad de la gracia de Dios y tenemos bloques de tropiezos desagradables —especialmente orgullo, otros pecados, y nuestra propia mortalidad— que deben ser removidos para salvarnos de nosotros mismos. Sólo a través de la aceptación la gracia de Dios es que podemos tomar los pasos necesarios de obediencia.

La historia del hijo pródigo nos asegura que nuestro Padre Celestial está ansioso de perdonar, ansioso de que tomemos pasos de obediencia, y ansioso por cerrar la brecha que no podemos cerrar por nosotros mismos.

Padre Amoroso, gracias por perdonar y aceptarnos como hijos e hijas de nuevo. Concédenos corazones enseñables, mentes con discernimiento, y fuerza para cada día nuevo. En el poder del Espíritu Santo, muéstranos las piedras de tropiezo que impiden nuestro progreso como siervos fieles. En el precioso nombre de Jesús oramos. Amén.

Preguntas

1. ¿Quién posee nuestro camino de fe y quién está en control?

2. ¿Cuál es la lección de fe en la historia del hijo pródigo?

3. ¿Qué se lo que todo el mundo en la iglesia tiene en común?

4. ¿Qué es una piedra de tropiezo en la fe? ¿Son obvias para nosotros? ¿Cómo aprendemos acerca de nuestras propias piedras de tropiezos?

5. ¿Cómo es una visita al hospital una transición? ¿Cómo está asociado con nuestro camino de fe?

REFERENCIAS

Aquinas, Thomas. 2003. *On Evil (Orig Pub 1270)*. Trad. de Richard Regan. Ed. de Brian Davies. New York: Oxford University Press.

Alcorn, Randy. 2006. *50 Days in Heaven: Reflections that Bring Eternity to Life*. Carol Stream, IL: Tyndale House Publishers, Inc.

Arendt, Hannah. 1992. *Lectures on Kant's Political Philosophy*. Chicago: University of Chicago Press.

Bainton, Roland H. 1995. *Here I Stand: A Life of Martin Luther*. New York: Penguin.

Bauer, Walter (BDAG). 2000. *A Greek-English Lexicon of the New Testament and Other Early Christian Literature*. 3rd ed. ed. de Frederick W. Danker. Chicago: University of Chicago Press. <BibleWorks. v.9.>.

Benner, David G. 2003. *Sacred Companions: The Gift of Spiritual Friendship & Direction*. Downers Grove, IL: IVP Books.

BibleWorks. 2011. *Norfolk, VA: BibleWorks, LLC*. <BibleWorks v.9>.

Billings, J. Todd. *2009*. Calvin, Participation and the Gift: The Activity of Believers in Union with Christ. New York: Oxford University Press.

Bonhoeffer, Dietrich. 1995. *The Cost of Discipleship (Orig.* pub. 1937). New York: Simon e Schuster.

Bridges, Jerry. 1996. *The Pursuit of Holiness.* Colorado Springs: NavPress.

Bridges, William. 2003. *Managing Transitions: Making the Most of Change.* Cambridge, MA: Da Capo Press.

Calhoun, Adele Ahlberg. 2005. *Spiritual Disciplines Handbook: Practices that Transform Us.* Downers Grove, IL: IVP Books.

Calvin, John. 2006. *Institutes of the Christian Religion (Orig Pub 1559).* Ed. de John T. McNeill. Trad. de Ford Lewis Battles. Louisville, KY: Westminster John Knox Press.

Card, Michael. 2005. *A Sacred Sorrow: Reaching Out to God in the Lost Language of Lament.* Colorado Springs: NavPress.

Chan, Simon. 1998. *Spiritual Theology: A Systemic Study of the Christian Life.* Downers Grove, IL: IVP Academic.

Chan, Simon. 2006. *Liturgical Theology: The Church as a Worshiping Community.* Downers Grove, IL: IVP Academic.

Cloud, Henry. 2008. *The One-Life Solution: Reclaim Your Personal Life While Achieving Greater Personal Success.* New York: Harper.

Dyck, Drew Nathan. 2014. *Yawning at Tigers: You Can't Tame God, So Stop Trying.* Nashville: Thomas Nelson.

Dyrness, William A. 2001. *Visual Faith: Art, Theology, and Worship in Dialogue*. Grand Rapids, MI: Baker Academic.

Elliott, Matthew A. 2006. *Faithful Feelings: Rethinking Emotion in the New Testament*. Grand Rapids, MI: Kregel.

Evans, Craig A. 2005. *Ancient Texts for New Testament Studies: A Guide to Background Literature*. Peabody, MA: Hendrickson.

Fairlie, Henry. 2006. *The Seven Deadly Sins Today (Orig Pub 1978)*. Notre Dame, IN: University of Notre Dame Press.

Faith Alive Christian Resources (FACR). 2013. *The Heidelberg Catechism*. Citó: 30 de Agosto, 2013. Online: https://www. rca.org/sslpage.aspx?pid=372.

Feinberg, Jeffrey Enoch. 1998. *Walk Genesis: A Messianic Jewish Devotional Commentary*. Clarksville, MD: Lederer Books.

Foster, Richard J., 1992. *Prayer: Find the Heat's True Home*. New York: HarperOne.

Fox, John e Harold J. Chadwick. *2001*. The New Foxes' Book of Martyrs (Orig Pub 1563). Gainsville, FL: Bridge-Logos Publishers.

Giglio, Louie. 2003. *The Air I Breathe*. Colorado Springs: Multnomah Press.

Hahn, Scott W. 2009. *Kinship by Covenant: A Canonical Approach to the Fulfillment of God's Saving Promises*. New Haven, CT: Yale University Press.

Haas, Guenther H. 2004. «*Calvin's Ethics*». En el Cambridge Companion to John Calvin, 93-105. Ed. de Donald K. McKim. New York: Cambridge University Press.

Hudson, Robert, ed. 2004. *Christian Writers Manual on Style*. Grand Rapids, MI: Zondervan.

Hugenberger, Gordon P. 1994. *Marriage as a Covenant: Biblical Law and Ethics as Developed from Malachi*. Grand Rapids, MI: Baker Academic.

Hugenberger, Gordon P. 1994. *The Lord's Prayer: A Guide for the Perplexed*. Boston: Park Street Church.

Icenogle, Gareth Weldon. 1994. *Biblical Foundations for Small Group Ministry: An Integrational Approach*. Downers Grove, IL: InterVarsity Press.

Iglesia Presbiteriana (E.U.A.). 2009. El Libro de Adoración. Preparado por la Oficina de Teología y Adoración. Louisville, KY: Geneva Press.

Iglesia Presbiteriana (E.U.A.). 2004. La Constitución de la Iglesia Presbiteriana (E.U.A.); Parte I--Libro de Confesiones. Preparado por la Oficina de Teología y Adoración. Louisville, KY: Geneva Press.

Josephus, Flavius. 2009. *The Antiquities of the Jews*. Trad. de William Whiston. Citó: 30 de Agosto 2013. Online: http://www.gutenberg.org/ebooks/2848.

Keller, Timothy. 2008. *The Reason for God: Belief in an Age of Skepticism*. New York: Dutton.

Keller, Timothy e Kathy Keller. 2011. *The Meaning of Marriage: Facing the Complexities of Commitment with the Wisdom of God*. New York: Dutton.

Kline, Meredith G. 1963. *Treaty of the Great King: The Covenantal Structure of Deteronomy—Studies and Commentary*. Eugene, OR: Wipf & Stock Publishers.

Kline, Meredith G. 2006. *Kingdom Prologue: Genesis Foundations for a Convenental Worldview*. Eugene, OR: Wipf & Stock Publishers.

Kreeft, Peter. 2007. *The Philosophy of Jesus*. South Bend, IN: Saint Augustine's Press.

Lawrence, Brother. 1982. *The Practice of the Presence of God (Orig Pub 1691)*. New Kensington, PA: Whitaker House.

Lewis, C. S. *1973*. The Great Divorce: A Dream (Orig Pub 1946). New York: HarperOne.

Lewis, C. S. *2001*. Mere Christianity (Orig Pub 1950). New York: Harper Collins Publishers, Inc.

Macchia, Stephen A. 2012. *Crafting a Rule of Life: An Invitation to the Well-Ordered Way*. Downers Grove: IVP Books.

MacNutt, Francis. 2009. *Healing*. Notre Dame, IN: Ave Maria Press.

May, Gerald G. 1988. *Addiction and Grace: Love and Spirituality in the Healing of Addictions*. New York: HarperOne.

Metaxas, Eric. 2010. *Bonhoeffer: Pastor, Martyr, Prophet, Spy—A Righteous Gentile Versus The Third Reich*. Nashville: Thomas Nelson.

Metzger, Bruce M. e Bart D. *Ehrman*. 2005. The Text of the New Testament: Its Transmission, Corruption, and Restoration. New York: Oxford University Press.

Miner, Maureen. 2007. «*Back to the basics in attachment to God: Revisiting theory in light of theology*». Journal of Psychology and Theology, 35(2), 112-22.

Mohammed. 1934. *The Holy Qur'an: Text Translation, and Commentary*. Trad. de A.Yusuf Ali. Washington DC: The Islamic Center.

Neder, Adam. 2009. *Participation in Christ: An Entry into Karl Barth's Church Dogmatics*. Louisville: Westminster John Knox Press.

Niehaus, Jeffery. 2010. «*Covenant and Narrative, God and Time*». Journal of the Evangelical Theological Society. 53:3, 535-59.

Nouwen, Henri J. M. *1975*. Reaching Out: The Three Movements of the Spiritual Life. New York: DoubleDay.

Nouwen, Henri J. M. *2002*. In the Name of Jesus: Reflections on Christian Leadership. New York: Crossroad Publishing Company.

Presbyterian Church in the United States of America (PC USA). 1999. *The Constitution of the Presbyterian Church (U.S.A.)*— Part I: Book of Confession. Louisville, KY: Office of the General Assembly.

Reynolds, Steve e M.G. *Ellis*. 2012. Get Off the Couch: 6 Motivators to Help You Lose Weight and Start Living. Ventura: Regal.

Rice, Howard L. 1991. *Reformed Spirituality: An Introduction for Believers*. Louisville: Westminster John Knox Press.

Rogers, Jack. 1991. *Presbyterian Creeds: A Guide to the Book of Confessions*. Louisville, KY: Westminster John Knox Press.

Rosen, Sidney, ed. 1982. *My Voice will Go With You: The Teaching Tales of Milton H.* Erickson. New York: W.W. Norton e Company.

Sande, Ken. 2004. *The Peace Maker: A Biblical Guide to Resolving Personal Conflict*. Grand Rapids, MI: BakerBooks.

Smith, Houston. 2001. *Why Religion Matters: The Fate of the Human Spirit in an Age of Disbelief*. San Francisco: Harper.

Sproul, R.C. *2003*. Defending Your Faith: An Introduction to Apologetics. Wheaton, IL: Crossway Books.

Stasssen, Glen H. e David P. *Gushee*. 2003. Kingdom Ethics: Following Jesus in Contemporary Context. Downers Grove, IL: IVP Academic.

Stone, Larry. 2010. *The Story of the Bible: The Fascinating History of Its Writing, Translation, and Effect on Civilization*. Nashville, TN: Thomas Nelson.

Thielicke, Helmut. 1962. *A Little Exercise for Young Theologians*. Grand Rapids, MI: Eerdmans.

Thomas, Gary. 2010. *Sacred Pathways: Discover Your Soul's Path to God*. Grand Rapids, MI: Zondervan.

Trueblood, Eldon. 1964. *The Humor of Christ*. New York: Harper & Row, Publishers.

Turansky, Scott e Joanne Miller. 2013. *The Christian Parenting Handbook: 50 Heart-Based Strategies for All the Stages of Your Child's Life*. Nashville: Thomas Nelson.

U.S. *Census Bureau*. 2011. Statistical Abstract of the United States: 2011. Washington, DC: Government Printing Office.

Wenham, Gordon J., William A. *Heth, y Craig S*. Keener. 2006. Remarriage After Divorce in Today's Church: Three Views. Grand Rapids, MI: Zondervan.

Whelchel, Hugh. 2012. *How Then Should We Work? Rediscovering the Biblical Doctrine of Work*. Bloomington, IN: WestBow Press.

Wilberforce, William. 2006. *A Practical View of Christianity (Orig. pub. 1797)*. Ed. de Kevin Charles Belmonte. Peabody, MA: Hendrickson Christian Classics; Hendrickson Publishers.

Zondervan. 2005. *NIV Archaeological Study Bible: An Illustrated Walk Through Biblical History and Culture*. Grand Rapids, MI: Zondervan.

ÍNDICE DE LAS ESCRITURAS

ANTIGUO TESTAMENTO

SOBRE EL AUTOR

El autor, Stephen W. Hiemstra (MDiv, PhD), es esclavo de Cristo, esposo, padre, fabricante de tiendas, escritor, orador... Él vive con Maryam, su esposa de treinta años, en Centreville, Virginia y ellos tienen tres hijos adultos.

Stephen ha sido un escritor activo a lo largo de su carrera; tanto como economista y como pastor. Como economista, trabajó 27 años en 5 agencias federales, publicó numerosos estudios de gobierno, artículos en periódicos, y comentarios de libros. Su libro en inglés, «*A Christian Guide to Spirituality*», sin embargo, fue su primer libro publicado en el 2014. En 2016, publicó un secundo libro en inglés, «*Life in Tension*».

Stephen es en este momento un fabricante de tiendas, su segunda carrera, quien divide su tiempo igualmente entre el ministerio Hispano y sus escritos. Como escrito de blog, su tema es *«pastor en línea»* y él escribe estudios bíblicos, reseñas de libros, y reflexiones sobre temas de espiritualidad. Como capellán de hospital, él trabajaba en el departamento de emergencias, en la unidad de psiquiatría, y la unidad de alzhéimer. Él es anciano en *Centreville Presbyterian Church*.

Stephen tiene una maestría en divinidad (MDiv, 2013) de *Gordon-Conwell Theological Seminary*. Su doctorado (Phd,

1985) es en economía agrícola de *Michigan State University* en East Lansing, Michigan. Aunque es ciudadano estadounidense, vivió y estudió tanto en Puerto Rico como en Alemania y habla español y alemán.

Por favor de comunicarse con Stephen por: T2Pneuma@gmail.com o síganlo en las redes sociales. Stephen es activo en los blogs (http://www.T2Pneuma.net) y *Twitter* (@T2Pneuma). Tiene también un autor sitio, http://StephenWHiemstra.net.

EPÍLOGO

Gracias por gastarse el tiempo para leer mi libro, *Una Guía Cristiana a la Espiritualidad*. Investigar y escribir este libro ha sido una bendición para mí y espero que usted también ha sido bendecido.

Si ha disfrutado de este libro, le animo a decirle a su familia y amigos. Su también puede compartir con otros lectores por escribiendo una reseña y publicarla en Amazon.com o en cualquier otro foro donde los comentarios se pueden publicar.

Tuyo en Cristo,

Stephen

Made in the USA
Middletown, DE
01 September 2023

37752112R00146